LEI DA ATRAÇÃO

RAYRA KALIDAN

LEI DA ATRAÇÃO
GUIA PRÁTICO

São Paulo, 2024

Lei da atração: guia prático
Copyright © 2024 by Rayra Kalidan
Copyright © 2024 by Novo Século Editora Ltda.

EDITOR: Luiz Vasconcelos
COORDENAÇÃO EDITORIAL: Driciele Souza
PREPARAÇÃO: Livia First
DIAGRAMAÇÃO: Nair Ferraz
REVISÃO: Vânia Valente e Driciele Souza
CAPA: Dimitry Uziel

Texto de acordo com as normas do Novo Acordo Ortográfico da Língua Portuguesa (1990), em vigor desde 1º de janeiro de 2009.

Dados Internacionais de Catalogação na Publicação (CIP)
Angélica Ilacqua CRB-8/7057

Kalidan, Rayra
   Lei da atração: guia prático / Rayra Kalidan. - Barueri, SP: Novo Século Editora, 2024.

1. Autorrealização 2. Sucesso 3. Pensamento novo 4. Bem-estar 5. Técnicas de autoajuda I. Título.

16-1454   CDD-158.1

Índice para catálogo sistemático:
1. Desenvolvimento pessoal 158.1

Alameda Araguaia, 2190 – Bloco A – 11º andar – Conjunto 1111
CEP 06455-000 – Alphaville Industrial, Barueri – SP – Brasil
Tel.: (11) 3699-7107 | E-mail: atendimento@gruponovoseculo.com.br
www.gruponovoseculo.com.br

A Deus, que é pai, mãe, amigo, meu sócio, meu amor.

A meus sagrados pais, Marilena e Guilherme, sem os quais eu não teria tido acesso a uma boa educação acadêmica; pelo amor com que me criaram e por me apoiarem até hoje.

À minha filha Carmem, que me ensinou o que é amar de verdade e incondicionalmente.

A você, Hudson, apoiador mais leal do meu trabalho, que acreditou em mim e vibrou na realização deste livro.

Aos leitores que me incentivam a cada dia a prosseguir com a missão de minha alma: impactar suas vidas positivamente de modo que sejam o que nasceram para ser.

Agradecimentos

Este livro é uma homenagem ao amor que recebo de meus sagrados pais e à minha filha. Agradeço à minha família, base e estrutura de todo apoio que sempre tive em todos os momentos de minha vida.

Nunca conheci pais tão companheiros como os meus, uma filha tão dedicada como a minha, e, nem em meus melhores sonhos, uma família tão parceira.

Agradeço a Guilherme Nunes da Cunha, pela criação talentosa do logotipo da Academia de Treinamento de Criadores Intencionais.

Agradeço a Hudson Oliveira, pela dedicação na realização deste livro.

Agradeço também a todos aqueles que vão encontrar aqui o alento para suas almas cansadas e abatidas, que já não aguentam mais tentar várias técnicas e dar com os "burros-n'água".

Ei! Vocês só não descobriram como criar! Mas vão saber e manifestar do jeito que eu fiz, porque se eu posso, vocês também podem! TODO MUNDO PODE!

Pois a Lei da Atração é um FATO.
Saporra funcionaaa!
Cem por cento comprovado!

A autora deste livro não dispensa conselhos médicos nem prescreve o uso de técnicas como uma forma de tratamento para problemas físicos ou de saúde sem o conselho de um médico, direta ou indiretamente. A intenção é apenas oferecer informações de natureza geral, a fim de ajudá-lo em sua busca do bem-estar emocional e espiritual. No caso de você usar alguma informação neste livro para si mesmo, que é seu direito constitucional, a autora não se responsabiliza por suas ações.

Desabafei...

A forma como a Lei da Atração é passada talvez minimize a dificuldade que muitos sentem, como eu senti por anos e aprendi na base da porrada, de cocriar direito. É necessária uma linguagem mais objetiva para falar desses "conceitos", e é por isso que eu uso um jeito bem simples mesmo. Tem palavrão? Tem. Mas todo mundo entende o que eu falo.

Muitas pessoas se sentem impotentes – como eu me sentia – diante de tantas outras pessoas que atingem resultados, mas é possível e não é teoria, *saporra* funciona mesmo! Vamos observar os SENTIMENTOS e buscar um alívio emocional a cada *merda* que acontece. Se ficarmos lamentando ou chateados porque aconteceu o que a gente não queria, a vibração de falta é reforçada e aí já era. Contra todas as evidências ruins e a favor de manifestar o que se quer, eu vivo na minha realidade paralela e só foco isso, invariavelmente eu me dou bem. É ignorar os 20 reais na carteira e ver 2 mil reais dentro dela. É vestir GG e comprar biquíni PP, porque a realidade que você escolhe é ser magra e dane-se a lógica do mundo. Sou maluca? Ainda bem! Eu gosto é de RESULTADO e está funcionando. Se está funcionando, eu continuo fazendo.

Escrevi este livro para falar da Lei da Atração em uma linguagem que todo mundo entenda, e para quem era como eu que fazia, lia, plantava bananeira e...? NADA.

Eu quero é resultado!

Ofereci e concluí um curso on-line chamado "Lei da Atração na Prática" a cinco alunos que aceitaram entrar nessa comigo (e havia sido secreto até então). As experiências adquiridas estão baseando minha convicção na LDA, e tudo estará escrito para quem não aguenta mais consumir livros de autoajuda. Eu *tô* de saco muito cheio de ver gente passando por coisas pelas quais eu passei, e a necessidade disso é ZERO.

Espero ser para você uma facilitadora não só na compreensão, mas na aplicação dessa Lei que, para mim e para muita gente, funciona como mágica.

Seja o que você nasceu para ser

Realizar sonhos é um dom natural que todos podem ter.
ASSUMA QUE É POSSÍVEL.
Você se materializou na Terra para vencer, para voar, para fazer a diferença.
À medida que silencia a mente, derruba as resistências, ideias emergem do Subconsciente, o entusiasmo aflora e você manifesta sua criação intencionada.
Somos criadores.
Nossa função é criar com alegria.
Inspire-se no que o faz sonhar.
Permeie-se no bem-estar.
Vá.
Gerencie sua mente. Domine suas emoções. Coloque-se no estado de sentimento que o alinha com sua meta.
Você pode.
Você é capaz.
Você não se manifestou na Terra para uma vida medíocre. VOCÊ É UM CRIADOR. Acorde! Levante! Respire! Vibre! Não é fazer, é vibrar! Não é agir, é sentir.
Vá.
Seja o que você nasceu para ser!

Brilhe

Brilhe. Desfoque o seu olhar do fenômeno.

Para que a imagem verdadeira do seu desejo se concretize, foque, mantenha, absorva-se na visão fiel e teimosa daquilo que o faz vibrar de emoção, do que deixa seu coração quentinho.

O mundo é muito maior do que você está vivendo, há tantas paisagens a admirar, há tanto o que amar, há muito para, de fato, VIVER.

Caia dentro!

A quantidade de poder na sua intenção é absurda e o processo, na verdade, é muito simples.

Você vai ver e testemunhar.

Bem-vinda!

Sumário

Introdução: LDA e eu 17

Parte 1: Conceitos teóricos
1. Lei da Atração: Pontos focais 20

Parte 2: Mão na massa
2. Ambiente: Faxinão do Feng Shui + Mitama migaki 56
3. Ambiente: Organização do espaço interno e externo 60
4. Espiritual: Religiões – ferramentas de apoio ainda necessárias a muitas pessoas 63
5. Corpo físico 65
6. Emocional: Cura de traumas 68
7. Ferramentas de limpeza 72
8. Mental: mudança no ponto de atração 88
9. Mental: Kit vórtico – manter a vibração alta 93
10. Mental: ferramentas de permissão – técnicas de foco para manifestação de desejos 99

Parte 3: O plus

11. O treinamento: As cinco habilidades mentais básicas do Criador Intencional 134

12. Como reagir aos contrastes quando tudo vai bem? 147

13. Os testes de fé 149

14. Trocando crenças 151

15. Minha mensagem para você <3 154

Referências bibliográficas 156

Introdução: LDA e eu

A Lei da Atração é uma lei que embasa a Ciência da Criação Deliberada e facilita a Arte da Permissão. Ou seja, é uma ciência metafísica comprovada na vida prática.

Se fosse um código de moral, eu já estaria fora há muito tempo.

Eu ignoro SO-LE-NE-MEN-TE. Vivo no meu mundo perfeito, mesmo sabendo que o dólar subiu, o custo de vida aumentou; isso não me afeta emocionalmente. Eu não enfio a cabeça na areia (isso não me afeta emocionalmente). É que eu tenho um sentimento de que tudo já é do jeito que eu quero, a realidade não me impressiona e não me afeta. Tipo: no meu mundo, eu sou a lei. Veja: hoje eu olhei minha carteira e, em vez de reclamar que a grana estava acabando, eu pensei: "podia ter mais grana aqui". Resultado: de tarde, um parente me deu dinheiro de presente. DUAS VEZES. Eu não pedi, não me incomodei, não fiz nada. Da segunda vez, o valor foi quatro vezes maior que da primeira.

Agora há pouco, eu acabei de receber a minha conta de internet e, antes de abrir, eu festejei por ganhar aquele valor em vez de "ter que pagar". Acredite: quando abri, a conta veio com metade do valor contratado pelo pacote! E a operadora lá, informando desconto disso e daquilo. Esse foi um exemplo prático: para mim, todas as minhas contas a pagar são dinheiro entrando na minha conta. E não é que *saporra* funciona mesmo? \\o//

É um sentir, é um negócio que já desenvolvi dentro de mim, entende? Essa dimensão material aqui não é a única, somos seres multidimensionais e eu pego o fio da dimensão em que quero estar. Focando minha atenção nisso, acabo me materializando nessa dimensão aqui que é moldável, porque essa suposta realidade física não é a única. Não sei se me fiz entender, mas é assim mesmo. Não enfio a cabeça na areia, ou seja, eu sei exatamente o que está acontecendo, só que eu não dou a mínima para isso, rio da cara do que "parece ser" e decido como quero que seja, e acaba acontecendo.

É que o "enfiar a cabeça na areia" que a gente conhece é fuga da realidade. Eu não, eu vejo tudo o que acontece, vi minha carteira hoje e nem me afetei. Quando eu disparo um comando, vejo ondas saindo de meu cérebro e viajando pelo Universo, e aí, alguma coisa sempre acontece. Como eu já trabalho a minha cabeça para ter sempre dinheiro, hoje ganhei duas vezes e ainda tive uma conta com 50% de desconto! Eita, *porra*! Isso é que é bom! ÊÊ!

Fomos criados para dar certo!

Tenho absoluta convicção de que esta é a vontade dessa Inteligência Infinita que criou o Universo, também chamada de Deus: que sejamos vitoriosos em todas as áreas e que manifestemos a nossa essência divina! Você foi um projeto criado para funcionar!

Parte 1
CONCEITOS TEÓRICOS

Capítulo 1

Lei da Atração: Pontos focais

Para você se familiarizar com certos termos muito usados em livros e comunidades, montei esse vocabulário. *Bora* lá!

Fonte: Energia criadora de tudo o que há, da qual emanou todo o Universo. Inteligência infinita que criou e mantém o equilíbrio do cosmos: planetas não colidem, as estações e fases da Lua não param de ocorrer. Causa primária de todas as coisas, chamada por muitos de Deus (com frequência, evito usar a terminologia "Deus" por estar carregada de conceitos religiosos e crenças do conteúdo coletivo que o antropomorfiza).

Antes, eu pedia que todos tivessem saúde, proteção, harmonia e tal. Agora eu desejo que todos tenham conexão com a Fonte. Porque, tendo isso, terão tudo de bom. Na verdade, conexão com a Fonte é tudo de que todos precisam. Essa inteligência infinita criou tudo o que há e, nesse equilíbrio, nos forneceu leis por meio das quais podemos nos mover, com segurança, durante nossa existência. Uma delas é a Lei da Atração (LDA).

Lei da Atração: É uma lei do Universo, comprovada pela Física Quântica, que nos informa que:
- Semelhantes se atraem
- Somos uma torre de transmissão que funciona assim:

Irradiação/ transmissão/ recepção

- Irradiação impregna a aura

Aura é o nosso campo eletromagnético que reverbera em volta do nosso corpo físico, é um dos nossos corpos sutis; a aura eletriza e magnetiza tudo até nós, conforme imagens mentais, palavras carregadas de força emocional e os sentimentos emitidos, vibrados na maior parte do tempo.

- A Lei da Atração funciona independentemente de você crer nela.
- A LDA não precisa da sua ajuda, você não precisa ajudar o poder que pode. O seu trabalho é usar a Lei da Atração a seu favor; o resto, ela faz.
- A Lei da Atração orquestra pessoas, eventos, fatos, coisas, acontecimentos, encontros, momentos, circunstâncias e situações exatamente conforme a frequência emitida POR VOCÊ. Um acontecimento "mais ou menos" indica que você

está emitindo uma vibração mista. Emita um sinal puro e a alegria será muito maior que nos seus maiores sonhos!

Energia: Tudo é energia neste Universo. Sutil ou condensada, mas a verdade é que ela é a base da formação de tudo e todos. É manipulável.

Vibração: Sentimento.

Frequência energética: Tudo no Universo é formado a partir de uma essência, e essa essência vibra em escalas. Essas escalas são as frequências vibracionais, energéticas; cada frequência tem seus correspondentes em várias áreas (cor, textura, sentimento, lugar, alimento, tudo, tudo tem uma frequência vibrátil). Nós oscilamos nessas faixas várias vezes ao dia, e nosso objetivo é vibrar 51% do nosso dia, todos os dias, nas faixas mais altas, gostosas, de bem-estar.

Vibração dominante: É a soma dos sentimentos que você sente / vibra durante a maior parte do tempo. Preste atenção em como se sente a cada hora, como uma forma de exercício e foco, e observe como está vibrando, isso vai lhe responder o porquê de estar atraindo dias sempre iguais.

Ponto de atração: É o resultado da sua vibração dominante. Quanto mais tempo você mantiver sua vibração dominante em determinado nível, mais isso vai se «solidificando» em você e acaba determinando seu ponto de atração. Ele vai irradiar esse sinal ao Universo e magnetizar de volta todas as vibrações semelhantes ao sinal irradiado em todos os campos da sua vida.

Escala emocional: É uma referência do seu estado emocional. Determinados sentimentos e emoções o deixam mais perto ou mais longe da sua conexão pura com bem-estar. Como exemplo, reproduzo aqui um modelo de escala emocional:

1 -	Alegria
	Conhecimento
	Poder
	Liberdade
	Amor
	Apreciação
2 -	Paixão
3 -	Entusiasmo
	Vivacidade
	Felicidade
4 -	Expectativas positivas
	Fé
5 -	Otimismo
6 -	Esperança
7 -	Contentamento
8 -	Enfado
9 -	Pessimismo
10 -	Frustração
	Irritação
	Impaciência
11 -	Opressão
12 -	Desapontamento
13 -	Dúvida

14 -	Preocupação
15 -	Acusação
16 -	Desencorajamento
17 -	Raiva
18 -	Vingança
19 -	Aversão
20 -	Inveja
21 -	Insegurança Culpa Desvalorização
22 -	Medo Tristeza Depressão Desespero Impotência

Crença: É uma afirmação repetida muitas vezes e embasada, geralmente, em alguma experiência pessoal. A boa notícia é que crenças são pensamentos, e pensamentos podem ser mudados a despeito de qualquer experiência já vivida por você. Crenças limitantes devem ser removidas, e não alimentadas. Escolha uma crença (exemplo: tudo é fácil para mim) e repita sempre. Repita, repita que pega!

Resistências: São as crenças guardadas sobre determinados assuntos, das quais nem sempre temos consciência, pois ficam guardadas no Subconsciente. Elas funcionam como uma proteção e criam conflitos com a Mente Consciente. Enquanto essas duas não se entenderem, nada feito. Exemplo: se você se decepcionou trinta vezes no amor, seu

Subconsciente registra a crença «Amar é perigoso e faz sofrer»; desta forma, por mais que você nem faça ideia de que nas profundezas da sua mente exista essa crença guardada e deseje amar e ser amado, acaba nunca dando certo no amor. Por quê? Porque sua mente o protege, causando fatos que o deixam sempre sozinho. E você sofre. Quando você pensa em seu desejo, algum sentimento ruim vem à tona? Se vier, indica alguma crença arraigada sabotadora. Cada sentimento negativo abrigado em relação a qualquer pessoa, coisa ou fato é uma muralha que se opõe ao seu desejo, é uma resistência que impede a manifestação.

Quanto mais limpos forem os seus sentimentos, mais pura será a sua vibração; a arte da permissão estará automatizada no seu ponto de atração, você fluirá no bem-estar, sua vibração dominante o conduzirá naturalmente àquilo que você almeja e a manifestação concreta será o próximo passo lógico. É necessário HARMONIZAR SEU DESEJO E SUAS CRENÇAS, inclusive as inconscientes, a fim de que a manifestação ocorra. A boa notícia é que existem várias ferramentas de limpeza de crenças e, neste livro, vamos estudar e praticar algumas delas, com sucesso!

Arrastão vibracional: O que é um arrastão vibracional? Imagine que você tem crenças limitantes inseridas no chip do seu Subconsciente. Caso você não delibere conscientemente sobre os assuntos cujas crenças limitantes estão regendo sua vida, essas crenças limitantes continuarão atuando. Isso é um arrastão vibracional; não tem nada a ver com o externo, vem de dentro: as crenças limitantes que criam resistências ao fluxo do bem-estar.

Bem-estar: É sentir-se bem e é o único fluxo existente no Universo. Catástrofes, doenças e tragédias explicam-se porque, em vez de girar o termostato para a vibração correspondente a que se quer, o que houve, na verdade, foi a interrupção do fluxo, resultando nos problemas e infelicidades vistos por aí.

Permissão: Você não precisa da permissão de Deus para ter o que quer. Ele já é permissivo o suficiente, olhe para o mundo e observe: um monte de fatos ruins e/ou revoltantes ocorrendo mostram que a inteligência infinita nos deu poder para criar o que quisermos, inclusive a infelicidade. E essa inteligência infinita respeita suas escolhas, basta assistir ao noticiário. Ou seja, a permissão que você deve ter é de si mesmo(a). A arte da permissão é a arte de se manter no único fluxo existente no Universo: o do bem-estar. Ache formas de se manter sentindo-se bem e todos os seus desejos serão trazidos a você e você será levado a eles.

Fluxo: Movimento contínuo em determinada direção.

Contrafluxo: Movimento contrário ao fluxo do bem-estar. Quando você está no contrafluxo, sua vida é pesada, arrastada, tudo é difícil... Simplesmente porque você guarda vibrações (sentimentos) que o arrastam no sentido oposto ao do bem-estar imanente no Universo.

Energia discordante: Toda e qualquer emoção e/ou sentimento que faz com que você se sinta mal. Geralmente ocorre quando você está pensando na falta do seu desejo em vez de focar no desejo em si. Resistência pura e clara.

Contraste: É o que chamam de "problema", ele é o que você não quer. Problemas/contrastes se originam de memórias se repetindo em sua Mente Subconsciente, que as reproduz fielmente no seu mundo externo. O contraste é o indicador exato de como está sua vibração dominante e lhe dá a oportunidade de definir exatamente o que você deseja.

Em qualquer contraste existe a nível inconsciente:

A crença no problema e que ele pode acontecer com você (medo);

A crença de que merece o que está passando por algum motivo (autopunição);

Falta de reconhecimento pelo que tem ou teve (ingratidão).

Antídotos:

Acolhimento de si mesmo. Acolher-se traz a sensação de segurança, de ser amado(a);

Autoperdão;

Gratidão.

Como fazer a travessia do contraste para onde você quer ir?

Chore, se desejar, e limpe sua alma;

Assuma 100% da responsabilidade pelo que atraiu. O fato de não ter atraído conscientemente não significa que isso não seja obra sua;

Mantenha a paz interna a qualquer custo. Respire, respire, respire para que seu canal fique desentupido e ideias de solução cheguem a você;

Não lamuriar, reclamar ou praguejar. Com isso, você apenas se mantém onde está e presta um desserviço a si mesmo;

Agradeça pelo que tem. Isso se torna fácil quando você se imagina sem o que tem e promove o reconhecimento de que, sem aquilo, seria muito mais difícil viver. Exemplo: você tem um emprego insuportável. Imagine-se sem ele e sem seu salário para honrar seus compromissos, comprar alimentos para seus filhos e pagar seu aluguel/prestação de qualquer outra coisa. Pois é, se você consegue honrar isso tudo, considere-se feliz. A questão aqui não é se nivelar por baixo, isso é hipocrisia, mas é um exercício para personalidades mimadas que vivem reclamando de barriga cheia. Esse pode não ser o seu caso, mas perceba que se você não reconhece e celebra o que tem (agradecer é isso), fica sem. Então, seja inteligente, não para ser "bonzinho", mas por amor a si mesmo;

Aprecie. Busque toda e qualquer coisa para apreciar, por mais "irrelevante" que pareça. A energia da apreciação é o turbo a jato que move seu ponto de atração para o melhor;

Responda: "O que posso fazer por mim agora?". Neste momento, fazer algo por si gera a sensação de que você está se apoiando e cuidando de si mesmo;

Responda: "Posso ser útil a alguém? Como?". Em alguns momentos da minha vida, eu usei esse recurso e me senti melhor, me deu alívio; quando eu visitava hospitais para prestar assistência energética, orfanatos, ou subia favelas para auxiliar famílias carentes, eu olhava para a minha vida e dava "Graças a Deus". Mas só utilize isso se, e somente se, você quiser. Esse foi (e é) um recurso que me ajuda bastante na sensação de que eu ainda tenho muito para me alegrar.

Partindo daí, o que você pode fazer?
I. Decida como quer se sentir;
II. Ignore solenemente o que ocorre. Não é fingir que não está ali, é ver o que está acontecendo e se manter estável em meio ao caos;
III. E fique focado(a), mantendo a visão exata do que quer. Porque eu saquei que quando eu foco no que eu sinto, as coisas têm que mudar e as situações externas têm sempre se revertido a meu favor. Essa é a minha experiência. Isso não me torna uma pessoa que nunca vai precisar de um bom papo, de uma conversa, mas saber que gerencio melhor minhas manifestações me dá uma sensação de liberdade (e poder sobre minha vida) muito boa.

Por fim, compreenda, nenhuma situação pode ter o poder de jogá-lo na lona. Se você está vivo, muita coisa boa pode acontecer a seu favor e seus sonhos ainda podem, sim, se realizar.

Desejo: Vale dizer que quando você pensa em seu desejo, duas coisas podem ocorrer: você se sentir mal, indica que, na verdade, está sentindo a ausência dele ao olhar para as circunstâncias atuais e, como a Lei da Atração só atua no presente e só responde no agora, você fica atraindo e criando mais do mesmo; ou você se sente bem, e isso indica que você está no fluxo que vai lhe entregar o que desejou. Quando você se sente bem ao pensar no seu desejo, está alinhado!

Se você pensa nele e sente que, por um lado, é bom e, por outro, nem tanto, está emitindo uma vibração mista. Pode até atrair, mas, como exemplo, em vez de Ferrari, aparece um Fusquinha; em ambos os casos, são automóveis.

Alinhamento: É harmonização. Estar alinhado com a Fonte o alinha com todo e qualquer objetivo. É percebido pela sensação de bem-estar pleno ao se pensar no desejo escolhido. A LDA é energia pura e tudo no Universo é uma inclusão e interação energética. Nossa oferta vibracional orquestra tudo ao nosso redor. Quando você se lança em um projeto sem alinhamento, em um impulso emocional sem direção, mas na precipitação, você está cavando uma cisterna rachada: não retém água. Ou seja, nenhuma manifestação será bem-sucedida.

– ALINHAMENTO PRIMEIRO

– AÇÃO INSPIRADA DEPOIS

Vórtex / Vórtice: É o lugar de poder. No vórtice, você está em pleno poder de deliberação. Existem dois sentimentos bem característicos do vórtice: a paz inalterada (serenidade imperturbável) e o entusiasmo. Não confunda com euforia, esta arrefece fácil; o entusiasmo é a vivificação do ser. Sob a égide entusiasta, a pessoa sente-se motivada, cheia de vida, empolgada, vivificada e em pleno poder pessoal!

De vez em quando, recebo amigos e amigas para um papo saudável e eu vim partilhar o que tem me ajudado a me manter "vorticeada":

Adotei com uma frequência muito maior as palavras: maravilhoso, fantástico, sensacional, magnífico, espetacular, surpreendentemente feliz, de bem a melhor, apoteótico, mesopotâmico, vórtex, bem-estar, entusiasmo, felicidade, satisfação, alegria, próspero, riqueza, paz, saúde, alinhamento.

Constantemente, para não dizer o dia inteiro, olho imagens de gente sorrindo feliz, gargalhando, e me vejo nas minhas melhores fotos, dos momentos mais felizes da minha vida.

Sempre elogio todo mundo SIN-CE-RA-MEN-TE. Não por um fator motivador apenas, mas porque faço questão de extrair o melhor que cada um tem e isso faz todo mundo se sentir melhor.

Aí vem a clássica pergunta: mas, Rayra, e quando você vê gente feia ou lugares feios? Resposta: eu não vejo. Assumo isso como um contraste qualquer e automaticamente dou a roupagem que eu gostaria que estivesse ali e me sinto como se aquilo fosse do jeito que vi.

Exemplo: ao avistar um mendigo, me perdoo por essa memória e o vejo rico, bem de vida, saudável e com uma bela família, o abençoo e sigo meu caminho sabendo que o que fiz por ele foi muito melhor do que lhe dar uma moeda com pena, o que certamente perpetuaria aquele estado infeliz.

E, principalmente, meus átomos já sabem que o vórtex é um estilo de vida, é meu estilo de vida, uma escolha

Consciente que me traz todos os benefícios que eu determino para mim.

A ESTRUTURA DA MENTE (MENTE E SUBDIVISÕES)
GARANTINDO A COLABORAÇÃO DOS NOSSOS PARCEIROS INTERNOS

Até eu aprender a parceria com meu Subconsciente e a captar as mensagens de minha Fonte, todo o meu parco conhecimento sobre Lei da Atração foi absolutamente inútil.

Eu buscava respostas, fazia limpezas, mas não me tocava de que tinha algo que não se encaixava, eu não percebia que havia mais de mim dentro de mim. Fui me conhecer e me estudar, me perceber e compreendi: Pahhhh!!! Se existem "eus" aqui em mim, essa galera tem que trabalhar junto, *porra*! Esse é o real alinhamento. Sem harmonia interior, sem amizade com minhas partes, as engrenagens andavam devagar. E depois que eu as conheci, elas têm até nome! Ah, que beleza, se todos soubessem como é bom, acho que terapeutas como eu, psicólogos e demais *coaches* ficariam desempregados(rs)... Sério.

É óbvio também. Ora, se você consegue resolver seus próprios dilemas, dores e traumas acessando o vasto conhecimento universal pelo canal que tem em si, não dependa mais do outro, não gaste mais anos da sua grana em terapia.

Rayra, está maluca? Você vem expor isso de forma clara assim? E seus clientes? Tem medo de perder, não? Minha resposta: Que nada! Eu nunca quis criar dependentes, minha intenção é empurrar minhas pequenas águias para que voem sozinhas, e tem mais: o Universo é criativo e pleno em abundância; quando uma profissão acaba, surge outra; quando recursos acabam, a natureza mostra outros, confie que aparece. ;-)

Então, eu vou falar a vocês como eu conheci meus parceiros internos e mostrar como vocês podem fazer isso também, sem que precisem pagar uma boa grana em workshops, webnários e coisas do gênero.

A Fonte manda. Eu obedeço. Simples assim. *Bora* lá!

Nós, basicamente, somos equipados com:

1) Mente Consciente: É a mente dos cinco sentidos equipada para nos informar e interpretar o mundo exterior. Deve funcionar como a sentinela que protege a mente mais profunda de impressões nocivas, a fim de que elas não façam morada logo onde é movido o poder criador (o Subconsciente).

O Eu Consciente:
 É você acordado(a);
 É a mente lógica, racional e analítica;
 Tem livre-arbítrio;
 Pode fazer escolhas;
 Tem a capacidade de manifestar intenções;
 É ele que faz comparação;
 É nele que reside o julgamento acerca das coisas;
 Interpreta o mundo com os cinco sentidos e envia a interpretação para o Eu BÁSICO;
 Recebe do Eu Básico sensações. Sonhos e recados do corpo para resolver questões internas (informando, desse jeito, que tem coisa errada);

Recebe da Fonte (Superconsciente) palpites espontâneos, ideias, insights, inspirações e intuições que levam à maior satisfação e, quando solicitado, oferece soluções.

2) Mente Subconsciente: É a parte da mente que retém todos os programas úteis à nossa sobrevivência; caracteriza-se pelo automatismo: as batidas do coração, o respirar dos pulmões, a regeneração da pele após um corte, e vai além disso. É o nosso repositório/depósito de memórias, inclusive as que não lembramos, elas ficam lá, nessa parte inconsciente de nós e, se forem memórias ruins, deflagram reações irracionais ao menor sinal ou mola propulsora.

Pense e veja se você já não reagiu mal automaticamente frente ao comportamento do seu cônjuge. Na verdade, você estava reagindo a uma memória, que pode ter sido registrada a partir de um fato ocorrido entre você e seus pais, por exemplo. Essas memórias podem causar aquilo que já vimos como "resistências". Cuidar do que penetra em nosso Subconsciente é uma vantagem, haja vista que 90% de nossa vida é regida por essa camada da mente.

O Subconsciente usa e gosta da linguagem dos símbolos e reage muito bem a rituais, por isso vemos as inúmeras religiões pelo mundo, porque o Subconsciente das pessoas se sensibiliza com este ou aquele ritual/prática conforme a própria afinidade. Falamos com o Subconsciente através de sentimentos e emoções fortemente gravados nele, imagens mentais, símbolos, rituais... e ele está mais do que atento ao nosso diálogo interno, registrando tudo em nossa conversa interior, então use a inteligência e evite dizer ao olhar-se no espelho: "Nossa, hoje eu estou péssimo(a)" e coisas do gênero. Os melhores momentos para impressioná-lo são logo ao acordar e antes de dormir; nesses horários as resistências se afrouxam e temos um acesso muito mais assertivo a essa camada mental.

O Eu Básico (Subconsciente):
Executa ordens, declarações, afirmações, decretos claros vindos do EU CONSCIENTE;
É a sede, o depósito dos arquivos de memória;
Tem natureza compulsiva e automática;
É a residência do hábito;
Prima pela segurança;
Para mudar algo, precisa ser convencido de que esse algo é seguro e bom (para ele, também);
É o administrador das funções do corpo;
É a casa da Criança Interior (a Criança Interior são as memórias da infância relacionadas a pai, mãe, irmão, avós, familiares, que definem o nível de amor-próprio, autoestima e autoaprovação no adulto).

Atenção:
Acima, estão as características do EU BÁSICO (Subconsciente). Abaixo, seguem as dicas de como ele entende as coisas.
O Subconsciente se impressiona, responde e reage a:
Respiração consciente;
Pensamentos (ideias sobre alguma coisa);
Sentimentos;
Imagens mentais (lembranças, cenas criadas, símbolos; desenhos, filmes, paisagens, fotos, vídeos, quadros de visão, rodas da fortuna);

Diálogo interno (palavra pensada/conversa interior) (!!!);

Palavra falada (afirmações, decretos, orações, preces, mantras, reza forte, imbuídos, claro, de sentimento correspondente ao que está sendo falado);

Palavra escrita (grafoterapia);

Ações de preparação ao que se deseja (exemplo: arrumar um emprego e antes já preparar a papelada de admissão);

Reações (podemos escolher como reagir a algo);

Atos simbólicos (muito usados em workshops de autoajuda e terapias);

Rituais (muito presentes em religiões);

Música, cheiro, texturas e sabores, pois ativam diretamente a memória afetiva.

> "O que eu quero é possível, seguro, fácil, eu mereço, eu posso (existe um caminho) e eu aceito de bom grado."

E *como* ele responde?

O *Eu Básico* (Subconsciente) fala através de:

Sensações;

Sonhos;

Recados do corpo: doenças, odores, ruídos, suspiros, curas inexplicáveis, bem-estar pleno.

Entenda: o *Eu Básico* só funciona:

Com clareza;
Com coerência;
Com repetição;
Se sentir que algo é seguro.

3) **Mente Superconsciente:** É a sua Fonte interna, centelha da Fonte criadora; nela residem a sabedoria e todas as orientações necessárias para toda e qualquer questão da sua existência. Cada um acessa essa Fonte interna a seu próprio modo. Em meu caso, o faço através da meditação. Silenciando e acalmando meu diálogo interno, abro espaço e oportunidade para que a Fonte me instrua em tudo o que devo fazer. Não levanto da cama sem orientação de meu ser interior, o sábio; nada faço sem consultá-lo antes. E isso tem me livrado de muita coisa e me conduzido a realizações encantadoras! Felizmente!

A Fonte (Superconsciente):
É um pedacinho "holográfico" da Fonte criadora do Universo localizada em nós;
É a miniatura do Criador na gente;
É a centelha divina em nós;
É o nosso DNA divino;
Tem TODAS as soluções;
Não conhece o impossível;
Está além da dualidade;
Completamente permissivo;
Não julga;

Compreensivo;
Respeita o livre-arbítrio humano;
É um repouso de paz;
Fonte de reabastecimento de energia permanentemente autorrenovável (ilimitada);
Fornece orientações quando solicitado;
Fornece palpites espontâneos, ideias, insights, inspirações, intuições que nos encaminham a sincronicidades perfeitas e felizes que nos deixam plenamente satisfeitos.

Como realizar a parceria Interior?

Sabendo quais são as nossas dimensões interiores (e já sabemos);
Conhecendo a função de cada uma (e já conhecemos);
Sabendo como se expressam (*checked*) e
Sabendo como *acessá-las:*

Conhecendo o Eu Básico

Tenha certeza de que não será interrompido (a);
Respire conscientemente até sentir completa paz. Nesse estado, os três parceiros (mais a Criança Interior) estarão calmos e o Eu Básico estará em estado passivo e receptivo para receber instruções;
Agora, chame o seu Eu Básico e dê-lhe um nome (ou deixe que ele mesmo informe seu próprio nome), perceba e pergunte se há algo que ele deseja transmitir e peça-lhe uma mensagem clara;

Anote tudo;
Vá dar um rolé.

Curando a criança Interior

Tenha certeza de que não será interrompido(a);
Separe um papel e um lápis ou caneta;
Respire conscientemente até sentir completa paz;
Vá até um canto da sua mente onde está sua Criança Interior. Observe o ambiente e como ela está;
Muito bem, abra os olhos e, com a mão esquerda, deixe que ela escreva uma mensagem para você, pergunte a ela o que ela quer e deixe que ela escreva;
Dê-lhe um nome, ou, se preferir, pergunte a ela como deseja ser chamada;
Abrace-a, console-a, fique com ela no seu colo e garanta que sempre estará com ela, dando-lhe amor, apoio, carinho, colinho e afirme que ela é muito amada, querida, desejada, adequada e aprovada;
Deixe-a na companhia de um anjo guardião e diga a ela que estarão sempre juntos(as) a partir de já;
Anote todas as suas impressões.

Estabelecendo parceria com a Fonte

Tenha certeza de que não será interrompido(a);
Inicie com a respiração consciente. O eu divino, a Fonte, sempre esteve lá, à disposição para receber um convite para participar da sua vida e está atento ao seu chamado. "Chegai-vos a mim e eu me voltarei para vós outros";

Chame seu Eu Básico pelo nome, receba-o;

Traga sua Criança Interior, chame-a pelo nome, receba-a com carinho, ela é criança;

Informe a ambos que farão uma visita a alguém muito importante e amável;

Dirijam-se de forma reverente a esse ser, perceba o que vocês três veem, estão de frente para o Criador e doador de toda a vida;

Repitam, os três:

"Divino Criador, pai, mãe,
filho em um, se eu, minha família,
parentes e ancestrais lhe ofendemos, e à sua família,
parentes e ancestrais por meio de pensamentos, sentimentos, imagens mentais, palavras, ações e reações, fatos e realizações (consciente ou inconscientemente; direta ou indiretamente) desde o início da nossa criação até o presente, nós pedimos seu perdão...
Deixe isso limpar, purificar, cortar, dissolver, neutralizar, desativar e apagar todas as memórias, registros e programas restritivos compartilhados com toda a humanidade, em todas as eras e dimensões de tempo e espaço e transmute essas energias indesejáveis em luz pura...
E assim está feito.
Sinto muito, perdoe-me, obrigada, eu te amo."

(Ho'oponopono - adaptação: Rayra Kalidan)

Esse Ser escuta atentamente, pode ser uma luz, uma forma; vocês três é que sabem o que estão vendo, mas percebem que a Fonte sorri e está receptiva. Corram para essa presença. Abracem e se deixem permear por esse amor, amizade e parceria;
Abra os olhos. Perceba como se sente;
Escreva tudo.

Sinais de conexão e parceria com o Eu Básico, a Criança Interior e a Fonte:
Alívio;
Paz, calma, tranquilidade, bem-estar;
Alegria;
Sincronicidades felizes;
Boas e inesperadas surpresas;
Clareza mental;
Lucidez no raciocínio do Eu Consciente.

O ALINHAMENTO DIÁRIO

Sempre, ao acordar:
Respire conscientemente;
Deseje-se "Bom dia!";
Convide seu Eu Básico para participar de seus projetos;
Beije e abrace sua Criança Interior;
Chame sua Fonte para oferecer a você todas as orientações necessárias e agradeça pelas soluções já recebidas no plano tridimensional;
Abençoe a Terra, seus habitantes e a quem mais desejar;
Perceba a si mesmo e as situações durante o dia;
E assim a cada dia.

Sentimentos fundamentais

Amor-próprio: O amor-próprio é a consideração, o carinho e a amizade que você nutre por si mesmo. Hábitos como se depreciar indicam que você não se gosta e, portanto, registrará em sua mente mais profunda que você não é merecedor das boas coisas da vida. Cuide de você como se fosse um filho. O que você escolheria ou desejaria para o seu filho? O melhor. Em tudo: alimentação, amizades, programas de TV, lugares a frequentar, enfim... Alguém que se ama acorda de manhã sabendo que pode escolher durante o dia os pensamentos, sentimentos, imagens mentais, diálogo interno, palavras, ações, reações e decisões a favor de si, do seu bem-estar e, ao contrário de egoísmo, isso denota respeito a si mesmo.

Autoestima: É a visão que você tem de si mesmo. Quem é você para você? Um fracassado ou um ser humano que se entende, se apoia e sabe que faz o melhor que pode com as condições que tem na mão, de acordo com as circunstâncias? Se você tiver amor-próprio, será gentil consigo e formará a seu respeito uma visão afetuosa e amiga de si próprio.

Autoconfiança: Sem ela, nada feito. É o oposto da insegurança. A autoconfiança é o sentimento de que você se sente capaz de algo. Se sua autoconfiança está abalada pelas intempéries da vida, eu tenho uma prática muito segura e útil: elabore agora uma lista de todas as situações difíceis que você contornou, reverteu e das quais saiu vivo. Você verá que não é tão "nada" assim como pensa e que tem alto potencial de vitória. Faça a lista, quero ver. Autoconfiança tem a ver com autoapoio. Sabe aquela força que você dá para o seu amigo? Dê a você mesmo(a). Se dê a mão, diga que vai dar certo, que, independentemente das circunstâncias externas, você já consegue ver um resultado final positivo e vai que vai!

Poder pessoal: "Tá" aí um conceito interessante. Poder pessoal é quanto de energia você acumulou para os seus projetos. Tipo... vida financeira: quem gerencia, tem. Se você não desperdiça energia com pessoas, lugares ou situações "drenantes", depositou energia emocional que está lá no Subconsciente, guardadinha. Mas, no mundo em que vivemos, o stress é fator número um para gastar a energia, certo? Errado. Se você é ou pretende ser um Criador Intencional, vai alimentar sua autoconfiança diariamente e seu poder pessoal vai aumentar. Depósitos diários sempre geram dividendos lucrativos.

FERRAMENTAS DO CRIADOR INTENCIONAL

Ferramentas de limpeza: Eu adoro este tema. Ferramentas de limpeza são técnicas/práticas que servem para limpar seu Subconsciente de dores emocionais e crenças que o sabotam. As que eu mais uso são: limpeza de traumas que eu criei para mim, E.F.T, Ho'oponopono, limpeza de crenças do Joe Vitale e a de Bob Proctor (formas rápidas de se livrar de pensamentos sabotadores). Tudo isso será abordado no capítulo destinado a esses poderosos auxiliares. Sem limpeza, você vai usar todas as ferramentas de permissão que conhecer, e sabe o que vai acontecer? Nada. Não vai ter resultado nenhum. E se eu soubesse disso, não teria gasto anos da minha vida batendo a cabeça de um lado para o outro sem resultados. E todos os participantes de meus workshops sabem: se não for para ter resultado, não me interessa! Ou eu faço bem feito ou nem começo.

Ferramentas de permissão: Qual é a função delas?

Nada externo a você é chave mágica, a chave é você permitir. Querer e não permitir dá resultado nulo. Agora, como é que se permite? Fique feliz. Hein? Com a vida do jeito que está? Exatamente. Busque seu bem-estar, fabrique.

Atente para o que os Abraham (Esther Hicks[*]) ensinam claramente: você só não recebe o que quer pelas crenças contraditórias, as resistências que mantém sobre seu desejo. Exemplo: você permite ver outras pessoas prosperarem, mas você não permite a si mesma. Tenho notado que muita gente é assim, e eu também era. Se essa ferramenta de permissão não funciona, tente outros processos ensinados pelos Abraham, como o da carteira, por exemplo, constante no livro: peça e será atendido.

> ABRAHAM
> é um grupo de seres não-físicos que expressam suas ideias através da escritora Esther Hicks

Entenda, ferramentas de permissão são molas propulsoras do permitir, por isso existem trezentas; a chave que

---

[*] Ver referência bibliográfica no fim do livro.

gira e abre a porta é permitir a si mesmo receber o que o Universo já deu.

Mas como, Rayra?

Eu determino o que eu quero, lanço o rojão e saio da frente.

A essência é permitir. PERMITIR = SE SENTIR BEM. Determine, sinta, receba.

Importância e diferença entre gratidão e apreciação

Agradecer é reconhecer a beleza e a importância de algo ou alguém em nossa vida e retribuir. Em minha experiência, já fui grata por muitas coisas, apesar de não me sentir realizada com elas. A gratidão é o reconhecimento de que algo tem importância, sim, sem aquilo nossa situação seria pior, mas não necessariamente nos sentimos plenos; mas, entenda: se você não se harmonizar com o lugar em que está, com o dinheiro que você tem, com seu cônjuge (mala), seu trabalho (detestável), você não terá como atingir o estado ideal que deseja.

Tire algo positivo da situação que o incomoda. Resumindo: se não agradecer pelo que tem, fica sem.

A apreciação tem uma voltagem energética mais elevada, pois apreciar é admirar, é sentir prazer no que você está focando e, muitas vezes, quando somos gratos, somos apenas por reconhecimento de que aquilo é bom, mas não necessariamente nos causa um vórtex, compreende? A gratidão é importantíssima para criarmos mais daquilo que estamos agradecendo, mas a apreciação, o degustar, o salivar... é um encantamento.

É isso! Tudo o que eu consegui, que considerava impossível, foi através da apreciação. Eu não tinha a intenção real de conseguir aquilo; eu admirava, apreciava e me encantava... Eu ficava ali, literalmente, sonhando, devaneando, criava histórias e imagens na minha cabeça e, de repente, situações começavam a se compor para que aquilo se aproximasse e, BUM, aquilo acontecia.

Para mim, eu descobri a fórmula da manifestação: a apreciação. Pois sempre, sempre que eu dava, oferecia uma apreciação desapegada, sem expectativa de resultado, eu conseguia o impossível.

Achei a fórmula: sentia prazer em relação a determinada coisa/pessoa/assunto/desejo, admirava e aquilo vinha para mim com intensidade avassaladora. Percebi isso analisando tudo o que eu consegui sem intenção. Agora é só utilizar o processo intencionalmente (e estou fazendo).

Para mim, Rayra, é assim que funciona. É assim que sempre funcionou, sempre.

Agora, vou partilhar com você...

Minidicas – Criação deliberada

O que é reprogramação mental?
É escolher um pensamento e repeti-lo com frequência.

O que é mudar o ponto de atração?
É praticar o sentimento que o pensamento escolhido evoca.

Qual é o resultado?

A manifestação tridimensional da realidade que você escolheu viver.

Como não atrasar as manifestações?
Mude seus pensamentos e mantenha-os mudados.

Como acelerar as manifestações?
Entre no vórtice.

Como entrar no vórtice?
Faça com frequência só o que o faz sentir bem. Está aí. Só não cria quem não quer.

Ative
Ative a vibração do que você quer manifestar.
Dê para receber.
Irradie para atrair.
Ofereça para obter.
E, depois, solte para magnetizar.

CONTROLE EMOCIONAL

Sabe, eu percebo que controle emocional é fator definitivo. Se você se deixa abater por um fator externo, vai ter mais trabalho para retornar ao seu ponto mais estável. Então, antes de chegar lá embaixo, vá pensando diferente acerca do que o incomoda. Quem está no controle é você, *pô*, não seu lado emocional. Não adianta brigar com o que você criou. Já que corrigir dá mais trabalho, procure criar melhor, gerar menos conflito, gerar mais harmonia. Vai, porque dá certo, sim.

A PAZ COMO ACELERADOR DE MANIFESTAÇÕES

A paz é o poder a jato.
A paz é a energia da segurança e da certeza.
A paz manifesta desejos em modo turbo. Paz *mode on*.
Assim eu escolho viver. Funciona.

Confiar na atuação da LDA é descansar em paz enquanto ela faz o seu trabalho de orquestrar pessoas, circunstâncias e situações para satisfazer os desejos do seu coração.

"É somente quando o mar está calmo que o vosso barco entra no porto." (Lourenço Prado)

Quem faz sua vida é você.
Não aguento essas mensagens "bonitinhas" dizendo: "Se Deus encheu a sua vida de obstáculos é porque Ele acredita na sua capacidade de passar por cada um".
Para começo de conversa, Deus não faz isso com ninguém, Ele só deseja alegria e perfeição a todos;
Para meio de conversa, é muito mais consolador (ai, eu o-de-io "consolismo") pensar que o externo é que fez algo na nossa vida, pois assim nos livramos da responsabilidade de consertar a *merda* feita. E, para fim de conversa, quem põe obstáculos na sua vida é você, que não sabe vibrar felicidade, deixa-se levar pela energia coletiva e não toma as rédeas de si próprio(a). Pronto, falei.

LDA E O NÃO-FAZER

Eu estava pensando aqui... Algumas pessoas não sabem o que fazer, mas no Universo não há o que fazer, isso não é necessário, embora tenhamos sido criados em uma cultura que ensine que a gente tem que dar duro para conseguir as coisas, não é assim que se faz, a gente não tem que fazer nada, a gente tem que vibrar. Vibrando a gente atrai naturalmente tudo o que for correspondente à nossa vibração. Só aja por inspiração. Inspiração primeiro, ação depois.

Não é necessário lutar, batalhar, se esforçar. *Relax, baby...*

Aí, pessoal. Se alguém lhes disser que vocês têm que batalhar, não façam isso! Não batalhem. Batalha implica resistência, e resistência impede a materialização dos fatos.

Eu consigo as coisas "não desejando, não pensando no assunto, eu decido como quero me sentir e foco nesse sentimento". Sintam-se como desejam e relaxem no fluxo do bem-estar.

Esse negócio de lutar para conseguir faz parte da lógica que não escolhemos para nós, da crença da maioria das pessoas que têm pensamentos limitantes e acreditam na filosofia do "sangue, suor e lágrimas" e nem assim alcançam suas metas.

Tudo flui e, se flui, não há necessidade de batalha, ok?

POR QUE DEMORA?

Depende das resistências que se tem a respeito do assunto e do grau de alinhamento com o desejo; velocidade na manifestação tem a ver com isso.

Se você está em uma situação sem saída:

Existe uma solução;
Existe uma solução satisfatória;
Existe uma solução satisfatória e imediata...

... Que só chegará se você se desligar, desligar o botão das preocupações com as consequências do que o(a) preocupa e se deixar boiar, flutuar.

Sinta que, apesar desse momento, tudo está bem e tudo só vai se concluir bem, pois só existe um fluxo de bem-estar.

Então, tome um banho, vista-se confortavelmente, deite em sua cama, feche os olhos, respire e tome consciência de que você está fluindo na corrente do bem-estar e a solução satisfatória existe e agora pode chegar até você através da sintonia.

Sorria, abra os olhos e vá fazer algo que o agrada. De repente, quando você menos esperar, a solução aconteceu. Sem você ter movido um dedo, mas apenas por você ter relaxado e ter se permitido fluir.

"Há muito amor aqui para você."

POR QUE NÃO ESTÁ FUNCIONANDO?

Recebo essa pergunta muitas vezes e, em meu caminho, *zilhões* de vezes já a fiz: "Rayra, esse troço não está funcionando. O que houve? Por quê?". Vamos relembrar:

Lei da Atração - Lei universal que atrai tudo aquilo que você sintoniza através da vibração. Vibração é sentimento. O sentimento é formado a partir da ideia, do pensamento;

Quando você pede, é atendido. É lei;

Se você não recebe, está com o canal fechado. Não está praticando a arte da permissão. Que *porra* é essa? É a capacidade de você se sentir bem, independentemente de qualquer circunstância externa de merda que você tenha criado em sua vida;

Se você estiver permitindo o fluxo de bem-estar, você recebe, invariavelmente;

O que pode estar fechando o canal? As resistências. "Que p... é essa, Rayra?" São crenças limitantes que sabotam nossas intenções, absorvemos ainda crianças e algumas formamos diante de respostas emocionais equivocadas sobre algum fato ocorrido;

"E como é que eu me livro dessa merda?" Resposta: limpe. Limpe o canal. Como? Existem as ferramentas de limpeza (as de permissão são outras). São técnicas e existem milhares. Então, resumindo: se você não obtiver resposta, examine suas crenças a respeito dos desejos que tem.

Tô EXERCITANDO

Eu estava aqui na minha em uma noite de setembro de 2014, na hora de dormir, e aí surgiu um resumo do resumo do que eu extraí dos Abraham e que, por hora, para mim é suficiente.

Ao acordar, eu me lembro de que durante o dia eu vou exercitar alguns pontos focais:

Buscar pensamentos para me sentir bem;
Apreciar tudo o que eu puder, onde eu estiver;
Lembrete: manter minha válvula aberta;
Em todos os momentos, minha intenção é buscar alívio e bem-estar;

Parar por um momento e sentir a realização do que eu quero.

Ao dormir, eu conduzo meus pensamentos nessa sintonia e anoto (e a gente sabe que vem sempre mais):
Que coisas boas aconteceram hoje?
Alguma sincronicidade positiva?
Alguma criação deliberada? Qual?
Para mim está bom e me mantém focada. Se me percebo descendo a ladeira, me dou três tapas na cara e lembro do resumo do resumo. \\o//

Quando é para dar certo, já deu

Nada como se alinhar de manhã, assim que acordar. É o mais importante do dia. Chegue atrasado, se for o caso, mas se alinhe; no fim, talvez nem role atraso.

Entendam por que os evangélicos não saem de casa sem orar, por que católicos não saem sem rezar, por que umbandistas não saem sem antes passar no próprio gonga. Eles estão se alinhando à Fonte do jeito deles. E o pessoal da LDA... Acorda no pulo, faz tudo correndo, cai na vida ao sabor do vento e depois fala que atraiu um dia de merda.

Só saia da cama depois de alinhado. E veja o dia se desenrolar como uma luva para você. Palavra de praticante.

Os canais são inúmeros

O campo de potencialidades tem diversos canais através dos quais pode abençoá-lo. Um caminho não é o único, é só um dos incontáveis meios que Ele tem de materializar o que você deseja.

Bons manifestadores não se abalam por nenhuma circunstância externa. Eles sabem disso e apenas focam o que invisivelmente já receberam...

Guerreira, eu? Ja-mais!

A crença de ser uma mulher: guerreira, lutadora, batalhadora NÃO ME PERTENCE! Deus me livre!

O conceito de guerreiro remete à luta, esforço e dificuldade, eu aboli tudo isso da minha vida e é por isso que, enquanto meio mundo se estressa no trânsito, para mim, ele está sempre livre.

Nem assuma esse conceito para você, senão o que você vai encontrar pela frente é guerra mesmo, para tudo.

O tratamento que obtemos dos outros

As pessoas nos tratam conforme nossa própria oferta vibracional, elas seguem o nosso programa, o que exala de nós e se projeta nelas. Elas são só um espelho. Não há culpados. Não há vítimas.

Ser "legal"

Isso cria dependentes e todos são mestres. Talvez ainda não tenham descoberto isso, mas são, já nasceram assim.

Como acontece a manifestação

PENSAMENTO + SENTIMENTO +
IMAGENS MENTAIS + DIÁLOGO INTERNO
↓
FORMA - PENSAMENTO
↓
CONDENSAÇÃO/CRISTALIZAÇÃO
(CONVENCIMENTO DO CONSCIENTE)
↓
MANIFESTAÇÃO TRIDIMENSIONAL

UM MOMENTO
MEU DE CONEXÃO
COM A FONTE
Criador nosso,
que estás no céu e em toda parte,
Reverenciado seja o teu poder
Venha a nós as tuas inspirações,
Seja feito o paraíso aqui na Terra,
como já é no mundo da imagem verdadeira.
A nutrição do oxigênio, da água e dos alimentos nos emane hoje
E abstraia de nossas limitações aparentes,
Assim como abstraímos das nossas e "desimportamos" com as
dos outros.
E que mantenhamos sempre o foco na alegria
e fluamos no bem-estar.
Assim É. Muito obrigada.
Sua filha, Rayra Kalidan.

Parte 2
MÃO NA MASSA

Método terapêutico de tratamento: áreas a tratar

Capítulo 2

Ambiente: faxinão do Feng Shui + Mitama migaki

"Olhamos aquelas roupas que não usamos há tanto tempo. Aquelas que tiramos do cabide de vez em quando, vestimos, olhamos no espelho, confirmamos mais uma vez que não gostamos e guardamos de volta no armário.

Aquele sapato que machuca os pés, mas insistimos em mantê-lo guardado. Há ainda aquele terno caro, mas que o paletó não cai bem, ou o vestido 'espetacular' ganho de presente de alguém que amamos, mas que não combina conosco e nunca usamos.

Às vezes, tiramos alguma coisa e damos para alguém, mas a maior parte fica lá, guardada sabe-se lá porquê.

Um dia alguém me disse: 'tudo o que não lhe serve mais e você mantém guardado só lhe traz energias negativas'. Livre-se de tudo o que não usa e verá como lhe fará bem.

Acontece que nosso guarda-roupa não é o único lugar da vida onde guardamos coisas que não nos servem mais. Você tem um guarda-roupa desses no interior da mente. Dê uma olhada séria no que anda guardando lá.

Experimente esvaziar e fazer uma limpeza naquilo que não lhe serve mais. Jogue fora ideias, crenças, maneiras de viver ou experiências que não lhe acrescentam nada e lhe roubam energia.

Faça uma limpeza nas amizades, aqueles amigos cujos interesses não têm mais nada a ver com os seus. Aproveite e tire de seu "armário" aquelas pessoas negativas, tóxicas, sem entusiasmo, que tentam arrastá-lo para o fundo dos seus próprios poços de tristezas, ressentimentos, mágoas e sofrimento.

A insegurança dessas pessoas faz com que busquem outras para lhes fazer companhia, e lá vai você junto com elas. Junte-se a pessoas entusiasmadas que o apoiem em seus sonhos e projetos pessoais e profissionais. Não espere um momento certo, ou mesmo o fim do ano, para fazer essa "faxina interior".

Comece agora e experimente aquele sentimento gostoso de liberdade. Liberdade de não ter de guardar o que não lhe serve. Liberdade de experimentar o desapego. Liberdade de saber que mudou, mudou para melhor, e que só usa as coisas que verdadeiramente lhe servem e fazem bem..."

(Wilson Meiler)

Nenhum Criador Intencional consegue manifestar nem uma moeda canguinha com resistências na cabeça; nem uma beijoca, com resistências; nenhum nada com resistências.

Sendo assim, elimine, NESSES SETE DIAS, tudo e qualquer objeto pessoal, da casa e do escritório/trabalho que não use, esteja velho, quebrado, trincado, rachado, enferrujado. Doe o que estiver em condições, ou, do contrário, lixo!

Fundamental: a cada item eliminado, repita em voz audível:

Assim como estou limpando meu espaço externo, estou desativando internamente todas as crenças que até então bloqueavam minha satisfação. Estou livre!

Check-list do faxinão

Desintoxicação, faxina, bota-fora. Jogar fora o que é inútil e/ou não funciona, ou doar, dependendo do estado:
 Roupas
 Sapatos
 Roupas íntimas (calcinhas, sutiãs ou cuecas)
 Roupas de dormir
 Caixinhas
 Gavetas
 Armários
 Bijuterias (brincos, cordões, pulseiras, anéis, pingentes, tornozeleiras)
 Cintos, óculos e bolsas

Objetos
 Livros
 CD's
 DVD's
 Móveis

Arquivos inúteis do computador
 Fotos, cartas e lembranças de pessoas que hoje não fazem mais sentido para nós
 Alimentos que lembrem pessoas ou momentos

Pessoas e relacionamentos prejudiciais, desnecessários e/ou vazios

Áreas da vida: palavras e hábitos a eliminar
Limpeza no Facebook: de *posts* tristes e de baixa *vibe*, e também das amizades que nada nos dizem
Limpeza na caixa de e-mails
Limpeza no WhatsApp

Lembre-se de associar a limpeza externa à limpeza de crenças limitantes, senão é forma sem essência. Atenção!

Capítulo 3

Ambiente: Organização do espaço interno e externo

1) Na carteira
   RG
   CPF
   Carteira do plano de saúde com o último comprovante de pagamento
   Carteira de motorista
   Documentos do carro

2) Pasta de documentos pessoais
   Carteira profissional
   Certidão de nascimento
   Certidão de casamento e/ou divórcio
   Título de eleitor com os dois últimos comprovantes de votação
   Certificado de reservista (para homens)
   Cartão do PIS/PASEP
   Diploma do 1º grau
   Diploma do 2º grau
   Diploma do 3º grau
   Diplomas de cursos de idiomas
   Diplomas de cursos de informática

Diplomas de outros cursos
Diplomas de pós-graduação, mestrado, doutorado, PhD
Passaporte

3) **Recibos pessoais**
Plano de saúde
Celular
Dentista
Esportes
Eletrônicos pessoais (nota fiscal, garantia e manual de instrução)
Recibos de: plano de saúde, dentista, creche, escola, curso de idiomas, informática, esportes das crianças

4) **Exames médicos**
Check-up anual de sangue e outros solicitados pelo médico
Receitas médicas cujo tratamento ainda esteja sendo feito
Livrinho do plano de saúde com os médicos, clínicas e hospitais que cobre

5) **Casa e comodidades**
Prestação da casa própria ou recibos do aluguel (se for o caso)
Condomínio (no caso de apartamento)
IPTU
Água
Luz
Gás
Telefone fixo
Internet
- TV a cabo

Recibos de móveis e eletrodomésticos (notas fiscais, garantias e manuais de instrução)

6) **Carro**
   Recibo de compra e venda
   IPVA
   Documentos do GNV, se for o caso

7) **Das crianças**
   Certidão de nascimento
   Carteira de vacinação
   Carteira do plano de saúde com último comprovante de pagamento
   Receitas médicas
   Exames médicos

SANAR DEPENDÊNCIAS

Liste todas as pendências de sua vida, das mais rápidas e fáceis às mais complexas.

Determine um prazo.

Sane! Nenhum Criador bem-sucedido deixa nenhuma pendência sem sanar, isso forma lacunas em sua própria energia. Ele sabe que isso significa vazamento e que esse desperdício vai afetar seu sistema nervoso e ensinar ao seu Subconsciente que "tarefas não são terminadas", deixando na sua vida projetos sem conclusão. Você quer isso?

Capítulo 4

ESPIRITUAL: RELIGIÕES – FERRAMENTAS DE APOIO AINDA NECESSÁRIAS A MUITAS PESSOAS

As religiões são muito válidas enquanto você AINDA precisa delas. Sou grata a todas pelas quais passei e com as quais ainda tenho afinidade. Sim, existem pessoas que precisam de apoio em religiões.

Embora um grupo alardeie de que ninguém precisa disso e que a religião é o ópio do povo e *blá-blá-blá*, eu vou para o campo prático. Se existe algum salmo, sutra, terço, oração, anjo, entidade e práticas religiosas que o inspirem ajuda eu amparo: Use! E dane-se a opinião alheia.

Pronto, falei.

Eu não tenho nada contra igrejas, já frequentei um monte delas e me faziam bem na época, naquele meu nível de consciência.

> Se uma pessoa se sente bem porque ainda necessita de algumas ferramentas de apoio, que faça.

Se uma pessoa obtém resultados práticos com os Abraham, pratique os ensinamentos do Abraham. Eu curto os Abraham e não conheço o trabalho do Hélio Couto, tenho resultados com o que pratico dos Abraham e *tô* na minha, criando feliz.

Se tem resultado com o Hélio Couto, entre na igreja dele.

Se consegue por si próprio acessar informação direto do Vacuum Quântico e não precisa de mais ninguém, aplausos.

Só que cada um tem um nível de compreensão e gradualmente vai galgando mais independência no acesso à informação. Não nos cabe julgar nada.

Capítulo 5

Corpo físico

Negligencie seu corpo físico e pague o preço de ter que corrigir o que poderia ter sido prevenido. Fique atento a:

Sono: Programe-se todas as noites para ter um sono profundo e restaurador. Se desejar ordene a si mesmo que, durante o sono, esteja na companhia ou nas turmas de aprendizado sobre qualquer assunto que lhe interessar. O que não falta toda noite é aulas de ótima qualidade no astral... Depois, me conte.

Respiração: o oxigênio é o nosso nutridor máster e existem inúmeras técnicas de respiração. A que eu pratico e indico todas as manhãs ao acordar é *Nady shodana Pranayama*, que ajuda a limpar os canais de energia bloqueados no corpo que, por sua vez, acalmam a mente (*nadi* = canal de energia sutil; *shodan* = limpeza, purificação; *pranayama* = técnica de respiração). E se faz assim:

    1. Sente-se confortavelmente com sua coluna ereta e os ombros relaxados;

2. Repouse sua mão esquerda no seu joelho esquerdo, palma aberta em direção ao céu ou em *Chin Mudra* (polegar e dedo indicador tocando as pontas suavemente);

3. Posicione a ponta dos seus dedos indicador e o do meio da mão direita no meio das sobrancelhas, os dedos anelar e mínimo na narina esquerda, e o polegar na narina direita. Nós iremos usar os dedos anelar e mínimo para abrir e fechar a narina esquerda, e o polegar para abrir e fechar a narina direita;

4. Aperte a narina direita com seu polegar para fechá-la e expire gentilmente pela narina esquerda;

5. Agora inspire pela narina esquerda, e então pressione gentilmente essa narina esquerda com os dedos anelar e mínimo. Remova o polegar direito da narina direita e expire pela direita;

6. Inspire pela narina direita e expire pela esquerda. Continue inalando e exalando com as narinas alternadas.

Água: beba água. Beba água. Beba o que seu corpo pedir, mas, se ele não pedir água, beba água. E a programe para limpar de seu Subconsciente tudo o que sabotar sua realização pessoal. Faça isso sempre antes de todo santo copo de água.

Alimentos: coma besteira, mas coma também o que nutra seu corpo, e mais: antes de comer, programe seu alimento para deixá-lo(a) saudável, lindo(a), jovem e bem-disposto (a).

Exercícios: faça. Escolha algo que lhe faça bem e programe seu corpo para reagir positivamente aos estímulos dos exercícios a que você irá submetê-lo. Os resultados são muito mais rápidos.

Automassagem: seu corpo é seu amigo, um fiel parceiro que possibilita que você – consciência – transite aqui neste plano físico. Sendo assim, lhe dê um carinho. Eu uso reflexologia podal, manual, na orelha e automassagem toda noite, agradecendo a esse amigo querido por ser minha amada casa.

Capítulo 6

EMOCIONAL:
CURA DE TRAUMAS

Nenhuma criação intencional se sustenta se o manifestador tem vazamento de energia.

Como a energia vaza?
No momento em que feridas emocionais ainda estão subconscientemente lá no fundo.

E o que acontece?
Você até cria, mas cria capenga: ou você manifesta algo que não é bem aquilo que queria ou, quando manifesta, perde (pois com energia vazando pelos buracos da sua aura, o que você cria não tem sustentação energética, é necessário que os alicerces estejam lá).

Por que isso acontece?
Porque enquanto abrigar sentimentos "para baixo" lá no fundo do baú, a coisa não anda de verdade, a gente patina, patina e merda nenhuma acontece de fato.

Observe-se para detectar isso.

Detecto em muitas pessoas algo que me feriu por um tempão: uma autoestima machucada. Talvez você nem saiba disso, não tenha percebido, mas ela está lá, sub-repticiamente o travando, lhe dizendo que você não merece se realizar e tal. E aí, quando manifesta todas as condições necessárias para se repaginar, a dúvida aparece; é porque não está curado(a) dentro.

Antes de manifestar algo, o Criador Intencional tem que estar inteiro, cabeça resolvida em relação às dores do passado, olhar para trás e perceber que não dói mais.

Essa é a minha experiência pessoal; é o que tenho observado em mim e em muita gente. Sendo assim, examine também se a sua motivação para o que deseja não está vindo de um sentimento de carência e baixa autoestima, em vez daquele puro suco de alegria que vai fazer porque está achando que a ideia de manifestar o que quer é um barato!

São plataformas emocionais muito diferentes e que geram resultados completamente opostos, pois se você pretende algo para se sentir alguém, para ser mais reconhecida, apreciada ou aplaudida por outrem, pode ter complicações após a manifestação, em função da plataforma emocional da qual partiu; mas se vai fazer algo porque está no sentimento de "que barato!", aí é outra coisa, tudo abre, tudo flui, a manifestação será ótima!

Examine-se por dentro e detecte o que você está fazendo com você.

Sinto um extremo cansaço em ficar me pautando em regras rígidas. Cansei mesmo. E me permito o que eu quiser, minha vida é para ser prazerosa. Ponto final. Ponto para mim. \\o//

Exatamente, se não curar dentro, nossas motivações para criar são equivocadas: é um passo para frente e dois para trás.

Pelos seus desafios atuais, você conhece os padrões que o acompanham e ferram.

Quais são os problemas/contrastes mais recorrentes na sua vida? A natureza do problema revela o que você precisa treinar e aprimorar em sua mente e diz com clareza qual é o exercício que sua alma veio praticar.

Sendo assim:

    Descubra o que você veio curar.

    Quais são suas maiores dores?

    Quais são os aspectos da sua vida mais problemáticos?

    Aquilo que mais o afeta, o derruba, o abate?

    Quais são os problemas mais recorrentes em sua vida? Isso é tudo o que você não quer, mas atrai, inconscientemente atrai.

Esta área está refletindo suas crenças/seus sentimentos sobre ela...

Como fazer

1. Identifique e escreva todas as dores relacionadas aos assuntos:

    a) Reconciliação com o passado:

        – Pai e mãe (irmão e familiares);

– Criança interior: ela mora no Subconsciente, tem mais ou menos uns quatro anos e sofreu algum machucado emocional; faça amizade com ela, para acalentar, proteger, dar segurança e afeto. Consegui curas internas incríveis com meus clientes.

b) Cura das fases da vida:
  – Infância;
  – Adolescência.

c) As duas áreas mais delicadas na fase adulta:
  – Parceiros amorosos (se essa área estiver mal resolvida causa cada estrago... e geralmente está associada ao relacionamento com pai e mãe, tudo está interligado);
  – Vida profissional/financeira.

E toda e qualquer dor que, ao lembrar, o machuque.

2. Dê um nome, identifique os sentimentos gerados por cada acontecimento registrado. Você está limpando e curando seu Subconsciente. Essa etapa é importante.

3. Escolha a ferramenta de limpeza e aplique.

Capítulo 7

FERRAMENTAS DE LIMPEZA

FERRAMENTA DE LIMPEZA 1:
CURA DE TRAUMAS *BY* **RAYRA KALIDAN**

Após:
Listar todas as suas experiências dolorosas;
E dar a cada experiência um nome que defina a emoção negativa;
Coloque essa lista em um envelope branco;

*"Eu envolvo todos esses traumas e dores emocionais com o amor higienizador e cicatrizante de Deus/Fonte/Vida (chame do que preferir).
Eu os declaro dissolvidos e limpos de minha memória emocional, onde, a partir de já, armazeno somente lembranças livres e agradáveis.
Declaro-me liberta e livre, curada e inteira, minha Criança Interior é profundamente amada, protegida e amparada e minha integridade emocional é completamente restaurada."*
(Rayra Kalidan)

Verbalize essa programação até lembrar de cada fato ocorrido de forma fria, natural e distante:

Dica para Reikianos nível três e os que são iniciados no *Karuna Reiki*

Você também pode pegar esta lista e enviar Reiki com os símbolos 3, 2, 1 nessa ordem (Sistema Usui) e 1, 2, 3 (Sistema Karuna Reiki) para que a energia vá até o momento do acontecido e se desbloqueie.

Esses símbolos são restritos aos iniciados no Reiki.

Dica 2
Utilize o Floral de Bach "Star of Bethlem" por três meses, quatro gotas embaixo da língua, quatro vezes ao dia. Esse floral tem a função específica de cura de traumas.

Ferramenta de limpeza 2:
Perdão (e libertação)

Olhar o suposto inimigo com os olhos da Fonte.

Se você olha para alguém como seu oponente ou concorrente, a realidade que vai atrair é de conflito. Não importa o que lhe tenham feito, negue peremptoriamente e enxergue a natureza divina que habita cada ser. É um treinamento? É. Principalmente, quando não fomos educados em casa a ter habilidade emocional. Mas só você pode se ajudar.

Qualquer atrocidade cometida foi atraída pela suposta "vítima". Sendo assim, o esquema foi apenas "chave-fechadura". Não há uma vítima e nem um culpado, a

> "O significado da 'oração para o inimigo'
> Do ponto de vista do Jissô, não existe pessoa má, nem maus hábitos, nem doenças. Conhecer esse fato é perdoar verdadeiramente. Admitir a pessoa má e os maus hábitos 'suportando' a convivência com eles não significa perdoar de verdade. 'Orar para o inimigo' significa orar para a pessoa que é na verdade uma aliada, apesar de parecer inimiga."
> Massaharu Taniguchi

chave-fechadura funcionou. Quem é o "malvado" é responsável pelo que vibra e FAZ e o "coitadinho" é mais ainda: pela própria proteção e vibração, sem sintonia, a peste malfeitora vai esbarrar em outro canto. Somos 100% responsáveis pelas derrapadas em nossa vibração. E o "filho da mãe" do "covarde" tem que ser conscientizado do que fez; entretanto, ele também tem DNA divino e pode transformar-se, caso ele sofra o rebote do próprio ato. Ele também atraiu a situação e o ciclo da roda do "karma" não terminará nunca.

Por isso é importante quebrar esse ciclo, visualizando a perfeição no "*fdp*, babaca que a gente quer esbofetear de volta". É treino. Eu também treino, meu sangue é quente e meu treino também é necessário.

Fico possessa quando ouço notícias sobre pedofilia, fico possessa com um pedófilo e, à primeira vista, eu quero logo que o babaca morra. Mas me lembro de que, em algum nível inconsciente e preencarnatório, essa vibração permaneceu naquela vítima, que é um espírito com alta bagagem em uma forma infantil; se a vibração da "investida" tivesse sido transcendida, a "vítima" não passaria pelo que passou. Imagine para mim, que sou mãe, levar isso numa boa... É treino, amiga, é treino. E o assunto é polêmico. Se não nos libertarmos do dedo que aponta, algum dedo apontará para nós. Essa roda viva "kármica" não precisa acontecer, não estamos aqui para isso. Karma não se paga, se transcende.

Você tem todo o direito de se afastar de quem lhe faz mal, e é uma atitude legítima. Não confunda esses conceitos, veja: uma coisa é ver que naquela pessoa há Deus; outra coisa é permanecer junto. Isso seria impossível, pois somente as vibrações semelhantes se aproximam; se você não concorda com o comportamento de alguém e, principalmente, se ao lado da pessoa você se sente mal, saia de perto. Mas saia mesmo, de verdade.

Você só deve permanecer ao lado e/ou próximo de quem ou do que o faz sentir bem. Sentir-se bem é a primeira premissa da manifestação bem-sucedida. Se você ainda não consegue manter-se indiferente próximo a pessoas tóxicas, saia de perto. Eu saio, eu me mando, não poluo minha vibração com nada que me faça sentir mal. Viu? Uma coisa não necessariamente tem a ver com a outra: eu sei que os presidiários fizeram um monte de merda, sei que há um Deus neles também, aceito isso, mas isso não me faz ter vontade de ficar perto deles, que ainda não reconhecem em si o DNA divino e permanecem em ilusão.

Você nunca "tem que" nada. Ver Deus em um malfeitor não o obriga a estar perto de quem o feriu. Um exemplo: uma mulher se casa e sofre maus tratos do marido; se separa, casa mais quatro vezes e acontece a mesma coisa. Essa mulher do exemplo não mudou o padrão mental. Agora veja, se é menos doloroso e gera mais alívio se manter longe de alguém, que seja. E enquanto isso, a gente vai se trabalhando, vai se limpando das dores emocionais até que um dia: plim! O sentimento mudou! E aí, a vibração também. Precisamos ser gentis conosco mesmos em vez de nos obrigar, nos enfiar goela abaixo padrões e comportamentos que nem sempre cabem na forma e nem no ritmo próprio de nosso ser interior. A gente faz o melhor que pode com o que tem na mão, nosso tempo e ritmo, sem pressões e sem "tem que". É fluidez.

Eu também me sentia na obrigação do "tem que" acolher quem me apunhalou. *Porra* nenhuma! Para começo de conversa, ninguém me apunhala, cacete. Eu ofereci uma vibração fechadura e toda vibração tem sua correspondência: alguém ofereceu a vibração de chave, chegou atraído por mim, se encaixou e tcham! Segundo, essa figura que eu convidei a entrar em minha experiência através da minha vibração é um filho de Deus como nós, eu me liberto da mágoa, abençoo e nos declaro livres daquela experiência, limpo minhas memórias emocionais compartilhadas com a pessoa e sigo a vida! Declarando que ela está livre também. Foi muito libertador ler isso nos livros de Joseph Murphy (*O poder do subconsciente*) e Catherine Ponder (*Leis dinâmicas da prosperidade*)!

Não existem vítimas (e nem culpados). Nós vivemos em faixas vibratórias; se o indivíduo ainda não compreende o esquema "chave-fechadura", ele se sente lesado e o "perdão" se faz necessário como recurso psicológico e simbólico de um adeus à mágoa. Quem já chegou nesse nível de compreensão não tem necessidade de perdoar nada a não ser a si mesmo por ter vibrado mal e consequentemente ter atraído uma situação ruim. Mas o autoperdão é o amor, a compreensão de que "Sim, fiz merda. Não interessa, eu me amo e me aprovo de qualquer jeito!" (Santa Louise Hay, rs). Depende do nível de consciência que a pessoa atingiu; para uns o "ritual do perdão" se faz necessário, assim como para a mulher que precisa ficar longe de alguém tóxico; para outros, é desnecessário porque a pessoa se sabe criadora dos eventos na própria vida, entende que a única pessoa a perdoar é ela mesma (caso tenha se ressentido consigo própria). Tem gente que prefere mudar seu olhar sobre o "outro" e não sente a necessidade de se afastar. Não tem receita de bolo para uniformizar a todos, cada pessoa tem sua maneira de atingir uma vibração mais elevada.

O perdão em determinado nível de consciência é até desnecessário, mas, se você ainda precisa de um recurso psicológico para se livrar de um fardo emocional, eu lhe ofereço a oração que criei (ver na próxima página) e uso quando sinto necessidade.

Fazendo as pazes consigo
Em tudo o que você leu aqui, é pertinente abordar o assunto mais sabotador de todos: CULPA.

O fim da culpa
Você não é responsável pelo sofrimento de ninguém. É chave e fechadura. O outro atraiu a "patada que você

> Neste momento,
> peço perdão a todos os encarnados
> e desencarnados, que prejudiquei, consciente ou
> inconscientemente, de forma direta ou indireta, desde
> o momento da minha criação até o momento que se
> chama "agora".
> Da mesma forma, eu perdoo a todos incondicionalmente, encarnados ou não, e os abençoo na luz do Divino Criador e os libero para seguirem seu próprio caminho em paz e com alegria.
> Estamos todos livres e abençoados. Está feito.
> Aos que se afastaram sem me dar a oportunidade de saber onde errei, se magoei você que nem está me lendo, perdão. Não sei o que fiz, não tive a oportunidade de saber qual foi a falha em nossa amizade, fiquem com meu carinho.
>
> (Rayra Kalidan)

deu", da mesma forma que você atraiu todas as merdas em sua vida.

Ninguém precisa se tornar o rei do egocentrismo por isso, mas nem de longe deve se torturar por culpa.

Responsabilizar alguém por uma catástrofe pessoal ou de escala mundial é alimentar a filosofia do "coitadinho" e isentar cada um de sua própria responsabilidade em cuidar da própria energia/vibração.

Aquela suposta "safada" "roubou" seu marido? Você alimentava a crença na infidelidade. Perdeu o emprego? Você deu atenção à crise. Sofreu um assalto? Você acreditou que devia algo a alguém. E por aí vai.

Suas crenças inconscientes, alimentadas, bem nutridas e de banho tomado regem o que lhe acontece e definem seu ponto de atração. Enquanto a manutenção de conceitos sabotantes estiver em dia, é isso o que você vai ter.

Tomar as rédeas da própria vibração é escolher o que pensar, sentir, falar e como reagir.

Cada um é responsável pela vibração que emite e pelo resultado que recebe.

FERRAMENTA DE LIMPEZA 3:
HO'OPONOPONO

Existem trezentos livros e sites sobre o tema, o que eu tenho a dizer é que este método é surpreendente pelos resultados que traz.

O que é Ho'oponopono?

É um método de cura havaiano que visa limpar memórias inconscientes. É simples, quase inacreditavelmente simples, mas, depois que descobri, "não quero outra vida".

Como fonte de leitura, indico a tríade do Joe Vitale:

Limite Zero
Marco Zero
O Curso do Despertar

Também me encantei pelo trabalho da terapeuta Karla de Araújo*.

Como uso esse método?
Eu, Rayra, pego a lista das dores emocionais e repito incessantemente a oração abaixo, de autoria de Morrnah Nalamaku Simeona.

> "Divino Criador, pai, mãe, filho em um.
> Se eu, minha família, meus parentes e ancestrais lhe ofendemos, à sua família, parentes e ancestrais em pensamentos, palavras, atos e ações do início da nossa criação até o presente, nós pedimos seu perdão... Deixe isto limpar, purificar, libertar, cortar todas as recordações, bloqueios, energias e vibrações negativas e transmute estas energias indesejáveis em pura luz...
> Assim está feito."

FERRAMENTA DE LIMPEZA 4:
EFT – TÉCNICA DE LIBERTAÇÃO EMOCIONAL

O que é EFT?
EFT significa Técnica de Libertação Emocional que, por meio do desbloqueio dos canais energéticos, elimina crenças sabotantes e até mesmo sintomas físicos**.

---

* Acesse o site http://www.constelarcomkarla.com
** Acesse os sites:
  Site do Gary Craig: www.emofree.com
  Site do André Lima: www.eftbr.com.br

Como usar essa técnica?
Assim:

1 - Frase de preparação

Importantíssima. Falar ao mesmo tempo que estimulamos pontos de acupuntura. Essa frase de preparação serve para anular uma possível autossabotagem.

Modelo genérico de frase de preparação: "Embora eu tenha <u>esse problema</u> (*no lugar da palavra "problema" você vai citar o que deseja tratar*), eu me aceito profunda e completamente".

Recomenda-se falar a frase de preparação em voz alta, com ênfase e entusiasmo para proporcionar melhores resultados. A frase deve ser repetida três vezes, enquanto se esfrega o "Ponto do Karatê".

2- Frase lembrete

Depois de utilizar a frase de preparação no ponto do Karatê, vamos usar a frase lembrete nos outros pontos da rodada da EFT.

A frase lembrete serve para manter o sistema energético sintonizado no problema para que possa ser desbloqueado e curado com os toques nos canais de energia.

Após o procedimento da frase de preparação, deve-se partir para os toques nos terminais energéticos. Em cada ponto a ser estimulado, a frase lembrete será repetida apenas uma única vez, ao mesmo tempo em que os toques serão realizados repetidas vezes em cada ponto.

Vamos exemplificar, com mais detalhes, o que é uma "frase de preparação" e uma "frase lembrete".

Genericamente, a frase de preparação consiste em falar o seguinte: "Apesar de *ter tal problema*, eu me aceito profunda e completamente". Repita essa frase três vezes, de preferência em voz alta enquanto se bate no "ponto do golpe do Karatê", que fica na lateral da mão.

Frase lembrete genérica: "Tal problema"

Exemplo:

"Apesar de estar com esta dor de cabeça, eu me aceito profunda e completamente". Frase lembrete: "dor de cabeça".

3- Toques nos terminais dos meridianos energéticos

Os toques são dados com as pontas dos dedos, repetidas vezes, de forma contínua e firme, sem, no entanto, machucar ou forçar. Ao mesmo tempo em que os toques são dados repetidas vezes em cada ponto, a frase lembrete é dita uma única vez apenas a cada ponto.

Use sua mão dominante para estimular os pontos.

Roteiro de atalho:

a) A frase de preparação enquanto se bate no ponto do golpe do Karatê;

b) Apenas a sequência que vai do topo da cabeça até o ponto abaixo da axila, deixando o ponto abaixo do mamilo e o ponto dos dedos de fora;

c) Repita novamente os toques do topo da cabeça, até o ponto abaixo da axila. Somente isso.

Atalho:
PTC = Ponto Topo da Cabeça
PIS = Ponto Início da Sobrancelha
PLO = Ponto do Lado do Olho
PEO = Ponto Embaixo do Olho
PEN = Ponto Embaixo do Nariz
PEB = Ponto Embaixo da Boca
POC = Ponto Osso Clavícula
PEA = Ponto Embaixo da Axila

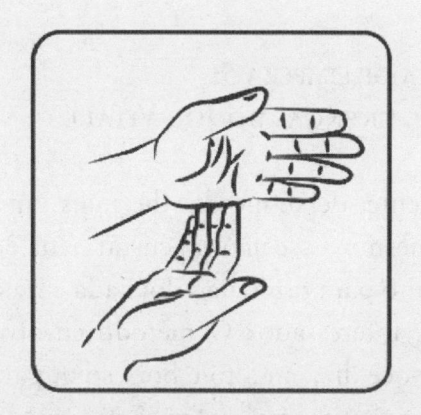

Ponto do Karatê

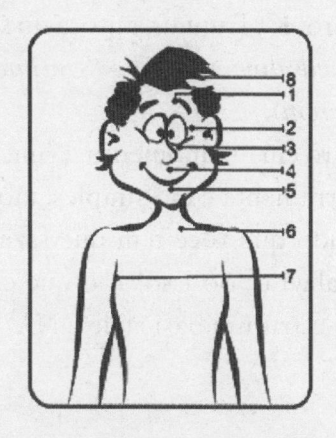

Sequência dos pontos

Ponto 1 - Início da sobrancelha
Ponto 2 - Canto do olho
Ponto 3 - Embaixo do olho
Ponto 4 - Embaixo do nariz
Ponto 5 - Entre a boca e o queixo
Ponto 6 - Início da clavícula
Ponto 7 - Embaixo do braço
Ponto 8 - Topo da cabeça

Ferramenta de limpeza 5:
Limpeza de crenças do Joe Vitale

"Finalmente, deixe-me dar-lhe mais um método para limpar a si mesmo. Esse não vai custar nada e não leva mais que um minuto para fazer, não dói nada e funciona sempre, é garantido. Interessado? O método envolve um simples roteiro que você diz, em alto e bom som, para liberar uma crença ou um sentimento que você não quer mais e substituí-lo por algo que você prefira. Aprendi esse método com minha amiga Karol K. Truman, autora do surpreendente livro *Feelings buried alive never die* (*Sentimentos enterrados vivos nunca morrem*).

Darei o roteiro em um momento. Primeiro, entenda que essa poderosa ferramenta é tão simples, tão simples que até a ignoramos. Tudo que você tem que fazer é dizer alguns parágrafos de palavras. Só isso! E o que esse roteiro faz é reprogramar sua estrutura básica de DNA. Ele fala com seu espírito e pede a ele que ajude você a ficar claro, limpo, na maioria dos níveis mais fundamentais de seu ser.

Espírito, por favor, localize a origem de meu sentimento/pensamento negativo sobre (*Coloque aqui o sentimento ou crença que você quer liberar*). Traga todo e cada nível, camada, área e aspecto de meu ser para essa origem. Analise e resolva isso perfeitamente, com a verdade de Deus. Venha no tempo, curando todo incidente baseado na fundação do primeiro, pelo poder de Deus, até que eu, no presente momento, cheio de luz e verdade, da paz e do amor de Deus, perdoe cada pessoa, lugar, circunstâncias e acontecimentos que contribuíram com esse sentimento/pensamento. Com total perdão e amor incondicional, apago o passado de meu DNA, libero-o e deixo-o ir agora! Sinto (*coloque aqui a maneira como você quer se sentir*)! Eu permito que cada problema físico, mental, emocional e espiritual, comportamento não apropriado baseado no velho sentimento, rapidamente desapareça. Obrigado(a), Espírito, por vir curar-me e ajudar-me a alcançar a completa medida de minha criação. Obrigado(a), obrigado(a), obrigado(a)! Eu amo você e louvo a Deus, de quem todas as bênçãos fluem.

Simples, não é? Agora, se você não acredita que o roteiro funcionará para você, use o roteiro nessa crença. Em outras palavras, coloque "Ajude-me a liberar minha dúvida sobre o poder desse roteiro" na primeira linha dele. É ali onde você coloca a crença ou sentimento que você deseja liberar. Na segunda linha do roteiro, coloque a crença que você prefere, que pode ser "Eu agora entendo que qualquer crença pode ser mudada em apenas um momento, mesmo com uma ferramenta tão simples como esse roteiro". (Fonte: Joe Vitale)***

Ferramenta de Limpeza 6:
Limpeza de crenças do Bob Proctor

"Pegue duas folhas de papel. Na primeira folha, descreva a condição negativa em que você se encontra. Descreva a situação como ela é agora e sinta realmente as emoções associadas a ela. Isso provavelmente não fará você se sentir bem. Mas você tem que sentir isso, pois, quanto mais você sente, mais conseguirá liberá-la. Em outras palavras, qualquer emoção que você suprime cedo ou tarde terá que ser expressa. Enquanto está suprimida, está entupindo sua vibração interior. Libere-a e você estará liberando sua energia para manifestar o que você quer. Deixe seus sentimentos virem à tona conforme você descreve a situação ou condição que você não quer mais.

Agora, coloque essa primeira folha de lado. Pegue a segunda folha e comece a escrever como você gostaria que a situação ou condição fosse. Mergulhe no sentimento prazeroso associado ao ter ou fazer ou ser o que você deseja. Mergulhe realmente nessa boa energia. Descreva a situação da forma como você quer que ela seja e desenhe-a maravilhosamente, completamente, de forma a poder senti-la enquanto a descreve. Assim como você experimentou a emoção negativa e pôde liberá-la, agora você pode experimentar a emoção positiva e criar uma nova figura a ser ancorada em seu Subconsciente.

*** Do livro *Spiritual Marketing*.

Quanto mais você se encher de amor por essa nova imagem e por esses sentimentos novos, mais rápido vai manifestá-los. Agora pegue a primeira folha, olhe-a por cima e queime-a. Pegue a segunda folha, dobre-a e carregue-a com você por uma semana. Está feito. Você acabou de limpar a si mesmo desse bloqueio negativo. E se ele por acaso resolver ressurgir, simplesmente faça o exercício novamente. Veja, é fácil!" (Bob Proctor)

Outras ferramentas de limpeza e cura

Não posso me furtar de indicar as terapias holísticas/complementares como ferramentas de limpeza de traumas e crenças negativas, dentre elas: florais, cromoterapia, aromaterapia, cristais, Reiki, musicoterapia.

Esses são apenas alguns exemplos, a área alternativa da vida tem uma riqueza fenomenal. Sou terapeuta e uso em meus clientes sempre que percebo que vão ajudar, colaborar e agregar valor ao caso específico de cada um. Esse é um leque de opções que auxilia, como toda ferramenta/bengala/técnica a ter um padrão vibratório melhor.

Apenas lembre-se: a ferramenta é um auxiliar, quem faz todo o trabalho é a sua mente.

Capítulo 8

MENTAL:
MUDANÇA NO PONTO DE ATRAÇÃO

> Se quer encontrar os segredos do Universo, pense em termos de energia, frequência e vibração.
> (Nikola Tesla)

Ao alterarmos nosso padrão sistemático de pensar e sentir, podemos modificar o que atraímos. Todo esforço é contraproducente e provoca efeito contrário, então sabemos que: embora seja inútil forçar nossas manifestações, podemos convidar nossos desejos por meio de nossa oferta vibracional concentrada e eles chegam nos surpreendendo.

Lista de Gratidão: Liste tudo o que você tem em sua vida que, se não estivesse aí, seria muito mais difícil; e se está, agradeça sinceramente. Reconhecer as dádivas abre caminho para que outras mais se manifestem, até porque, quando você não agradece o que tem, para de receber. Se você reclama toda segunda-feira de ter que ir trabalhar, vai acabar gerando alguma situação de perda de emprego. É preciso valorizar a benção rotineira que tinha, mas nunca percebeu, ou melhor, reconheceu.

Entenda de novo: Se você não se harmonizar com o lugar em que está, com o dinheiro que você tem, com o seu cônjuge ("mala"), seu trabalho (detestável), você não terá como atingir o estado ideal que deseja. Tire algo positivo da situação que o incomoda.

Resumindo: se não agradecer pelo que tem, fica sem.

Caderno da Gratidão Diária (Diário do relógio do Sol): Esta prática eu aprendi na *Seicho-no-ie*. Todos os dias, ao fim de cada um, registre algo de bom que tenha ocorrido. Separe um caderninho e, ao término de cada jornada, escreva o que de bom aconteceu nesse dia, você vai ver no fim do ano quanta coisa boa aconteceu e vai ter um verdadeiro inventário da felicidade.

100 Happy Days: Esta prática me deu bons presentes. Despretensiosamente, eu postava em minha linha do tempo do Facebook um agradecimento por dia, no seguinte molde: "#100happydays 1de100" e assim por diante. Do nada, eu recebia fatos e presentes no meu dia a dia.

Pedra da Gratidão: Uma variante é a Pedra da Gratidão que o filme *The Secret* ensina, eu também tenho uma. No livro *The Magic* (*A Magia*, de Rhonda Byrne) é ensinado a segurá-la lembrando da maior benção ocorrida no dia. Faça assim: escolha uma pedra (ou um cristal) e, ao fim de cada dia, pegue a pedra na mão e relembre aquilo de mais gratificante que tenha acontecido no dia, sempre haverá algo pelo que agradecer. Esta pedra ficará carregada da energia de encantamento pela vida, e só de pegar nela você já sentirá aquela energia quentinha do bem-estar.

Treino do Riso: esse é MA-RA-VI-LHO-SO!! E tem o poder incrível de mudar sua vibração automaticamente!
Modo de fazer:
1. Coloque os dedos sobre o umbigo;
2. Mova-se para frente e para trás;
3. Comece a gargalhar alto HAHAHA, mesmo sem vontade;
4. Faça cinco minutos por dia.

Resultado: Mudança imediata de frequência vibratória. Quem praticou comigo nos workshops não conseguiu parar de rir depois!

Livro dos Aspectos Positivos: às vezes, algo ruim acontece e não percebemos como atraímos, nos chateamos, calamos, e o silêncio e a falta de compreensão são tudo o que temos como reação. Já passei por isso tantas vezes... e como eu me virei? Como Abraham indica: eu pivotei, eu girei o eixo, eu mudei o ponto de vista sobre o fato. Faço assim: pego meu caderno, escrevo o que aconteceu e registro o que de positivo eu consigo extrair daquilo. Às vezes fico um tempão me perguntando como pode ter algo de bom em um fato que me arrasa, mas eu sou teimosa e, de fato, por mais que não seja muito animador, sempre há algo a extrair de uma situação aparentemente negativa. E digo mais: se não for algo que o inspire, será algo que lhe ensine.

Caderno de Elogios: esta prática muito útil que aprendi na *Seicho-no-ie* é muito útil para dissolver sentimentos ruins em relação a alguém, pois o foco é mudar o ponto de vista sobre as pessoas. Basicamente, escreva o nome do indivíduo e, além do monte de defeitos que você já tem mentalmente muito bem descritos, pense em uma característica positiva desta pessoa. Uma só. Escreva. Apesar de fulano parecer ser um bom "fdp", existe algo ou um comportamento bom ali naquele diamante não lapidado. Vá escrevendo. Ao fim da lista, você entenderá uma coisa: as pessoas não são os seus comportamentos. Estes variam conforme o estado emocional, mas ela é além do que se vê e, mesmo que sua mágoa permaneça aí dentro, será suavizada com este exercício. Este investimento, antes de qualquer coisa, fará de você o melhor beneficiado, não porque você seja bonzinho e o outro não mereça umas "boas verdades", mas porque você merece seus bons pensamentos a respeito de qualquer algo ou alguém.

Ancoragem da PNL: a Programação Neurolinguística foi uma grande paixão minha e continua sendo uma ferramenta muito útil para ativar meus recursos internos! Essa técnica serve para reativar uma sensação boa. Como eu uso? Eu penso em uma situação brilhante que vivi e uno os dedos "polegar, fura bolo e pai de todos", fecho os olhos e me transporto mentalmente para a situação; depois, penso em mais uma situação e aperto os três dedinhos; e vou assim atééééé... que meu sistema nervoso já tenha associado os três dedinhos juntos à sensação de bem-estar, basta uni-los que eu já começo a sentir aquele "mexe-mexe" na alma.

Ah, é uma delícia! E uso essa técnica sempre que percebo alguma situação de contraste se aproximando. Faça, que é sensacional. Uso muito essa técnica antes de fazer minhas afirmações. #dica

O interruptor (para mudar estados mentais instantaneamente): o "interruptor" se usa assim:

Imagine um interruptor mental;

Identifique seu estado de humor (exemplo: estou me sentindo uma "baranga");

Escolha como quer se sentir (exemplo: quero me sentir uma fêmea desejável);

Mentalmente, ligue o *interruptor* e veja uma luz acender com as palavras de comando (exemplo: fêmea desejável);

Perceba como se sente. É outro nível! A esta altura, em segundos, você estará se sentindo a pessoa que deseja ser ou a situação que deseja vivenciar. No caso do nosso exemplo, estará se sentindo "A Gostosa"!

Eu simplesmente adoro essa técnica! Uso muito! Vale ressaltar que o interruptor gera em nós um sentimento de autoconfiança automático.

Capítulo 9

Mental: Kit vórtico – manter a vibração alta

Uma coisa é você alterar seu ponto de atração, outra coisa é *manter*. As perguntas que eu mais recebo são sobre entrar e se manter no vórtice nas seguintes variantes:

1. Como você se coloca no vórtice?
2. E como se mantém nele?
3. E como se mantém nele quando algum problema brabo acontece?

Eu costumo indicar um texto que escrevi assim que voltei a praticar LDA de forma consciente, mas outras ideias me vieram em torrentes como que para complementar o texto anterior, pois o englobam e o completam.

Então, baseada no que funciona para mim, montei meu kit vórtico. E como funciona isso? Com um caderno, uma caneta, um celular e um notebook. É suficiente. Enumerei o que pode mudar minha vibração para melhor de forma instantânea, algo a que eu possa recorrer quando perceber que estou indo ladeira abaixo, a fim de me manter ou até mesmo voltar a fluir no bem-estar natural de viver. Vamos lá:

1) **Autoimagem:** Escreva todas as coisas boas sobre você, suas qualidades;

2) **Os outros como irmãos:** Escreva todas as coisas boas sobre quem convive com você (familiares, colegas de trabalho e sobre quem tenha "algo contra");

3) **Lista da gratidão turbinada:** Escreva as coisas e pessoas pelas quais você é grato e por que (como elas fazem você se sentir e lembrar delas sempre que precisar);

4) **Lista de pico:** Escreva os fatos, coisas incríveis e marcantes que o fizeram se sentir feliz, realizado e poderoso.

5) **Álbum dos momentos felizes:** É a lista de pico em imagens. No computador ou materialmente, junte em uma pasta suas fotos dos melhores momentos da sua vida, em que você está feliz e sorridente, aquelas fotos que, quando você olha, lhe transmitem um imediato bem-estar.

6) *Playlist* do poder: Monte uma *playlist* com as músicas que o fazem sentir animado e entusiasmado, que despertem em você seus melhores sentimentos de poder! Também chamada de *playlist* vórtica.

7) **Lista das pessoas vórtices:** Liste as pessoas mais engraçadas, positivas, divertidas, nutritivas que conhece, aquelas que você mais admira! Coloque a foto de cada uma ao lado esquerdo do nome delas e tenha: o aniversário, o

telefone, o e-mail e o Facebook, algum contato de cada uma. Interaja sempre com elas, leia seus *posts*, comente, curta. Cerque-se de gente positiva que o motiva para o alto e mantenha contato com essas energias!

8) **Lugares de poder:** Liste os lugares que adora frequentar e vá sempre lá, sozinho e com as pessoas que mais ama. Você sempre sai de lá energizado, renovado e recarregado!

9) **Filmes de ouro:** Liste os filmes mais inspiradores e os mais engraçados que você já viu. Tenha os DVD's deles sempre à mão. Você também pode listar as peças teatrais e programas de TV que mais divirtam e transmitam bem-estar.

10) **Literatura diamante:** Liste e tenha em casa e/ou no PC/pendrive os melhores livros da sua vida.

11) **Vorticeando na parada:** Esta é a lista pérola – ouro branco – ouro dezoito – diamante – *hors concours*! Cinco estrelas! Liste todas as coisas que o fazem sentir vivo e pratique-as sempre!

12) **Vídeos vórticos:** Crie uma pasta em seus "Favoritos" e salve ali os vídeos mais engraçados e divertidos, os que mais expandem sua consciência e os que mais o façam sentir poderoso!

13) **Fonoterapia mágicka:** Se você tem a *playlist* do poder, tenha também essa pasta aqui salva no PC e no celular.

Aqui você coloca os arquivos em mp3 de meditações e afirmações que reprogramem e direcionem sua Mente Subconsciente e seu ponto de atração para o que você quer.

Modo de usar:

– Deixe tocar no seu ouvido a noite inteira enquanto estiver dormindo.

– Ouça no carro, no ônibus, trem, metrô, enquanto aguarda uma consulta médica, ouça duas horas por dia.

14) **Afirmações:** Tenha seu caderno de afirmações favoritas. Você pode utilizá-las de várias formas. Sobre isso, eu já postei um texto também, mas resumindo:

– Repetindo em voz audível 15 minutos por dia;

– Repetindo em voz audível 15 vezes por dia;

– Escrevendo uma ou várias afirmações escolhidas no seu caderninho destinado à grafoterapia (se você deseja escrever afirmações, você deve ter um);

– Grave-as em mp3 e salve-as na pasta "Fonoterapia *mágicka*";

– Espalhe-as pela casa toda, carro, bolsa e carteira;

– Tenha o potinho de afirmações;

– Use um terço (católico) ou um masbahá muçulmano ou faça você mesmo um cordão com quantas contas desejar e o utilize para a repetição de suas afirmações.

15) **Caixa mágicka ensinada pelos Abraham:** Recorte imagens das coisas que deseja e coloque dentro de uma caixa só sua.

16) **Caixa mágicka virtual:** Eu adoro e me "vorticeia" na hora. Em vez de recortar, eu salvo imagens do que quero na internet e crio uma pasta em meu PC.

17) **Imagenia:** Na Imagenia, em vez de você recortar seus desejos de jornais e revistas, você desenha e/ou pinta. Você pode ter um caderno dedicado a isso e guardá-lo na sua caixa mágica, bem como fotografar seus desenhos e pinturas e salvá-los também em sua caixa mágica virtual. Vale tudo para sintonizar.

18) **Quadro da visão:** Ensinado no livro e no filme *The Secret*, de Rhonda Bhyrne: recorte as imagens e, em vez de colocá-las em uma caixa, deixe expostas em um quadro de fotos, em que caibam todo os seus desejos, ou cole-as em uma cartolina e prenda-a na parede para constante contemplação.

19) **A magia da palavra cantada:** Crie uma musiquinha e cantarole o dia inteiro! Grave-a em mp3 e... salve na pasta: "*Playlist* do poder"!

20) **Lista dos amigos célebres:** Liste aqui os nomes de seus novos amigos. Personalidades/celebridades que, em sua mente, agora fazem parte do seu círculo de amizades. Se quiser, cole fotos suas com eles, faça montagem, recorte de revistas e coloque na sua caixa *mágicka*. Qual é o objetivo? Cercar-se de energia de alta performance!

21) **O abaixo-assinado das estrelas** (essa eu aprendi no livro *Comer, Rezar e Amar*): Escreva um abaixo-assinado a

seu favor (de um desejo seu) e essas personalidades assinam. Você deve assinar mesmo, como se fossem eles assinando, pois elas estão assinando e o apoiando (em sua mente).

22) Crie crenças melhores: O que você gostaria de pensar acerca dos assuntos: amor, homens, dinheiro, carreira, família, filhos, sexo, tabus, liberdade, merecimento, carma...? O que você gostaria que fosse lei para você, no seu mundo? Pense livre aqui. E, para cada assunto, escreva o que deseja crer. Ok, certo, você sente que é mentira e de fato acha que não é verdade, mas você gostaria que fosse assim. Você nunca se deu muito bem com o sexo oposto, mas adoraria que fosse uma lei "Amo e sou amada". Então, apenas escreva. Crie leis positivas para sua vida. No seu reino, só manda você...

Enfim, pessoal, fica aqui minha contribuição para um bem-estar de quem está buscando práticas, de quem ainda não sabe vibrar sentimentos que mudem seu ponto de atração e ainda precisa dessas ferramentas de permissão (como eu também recorro a elas).

Criei para mim, pode servir para alguns de vocês...

Se servir, tentem.

Se tentarem, observem o que funciona.

Se não funcionar, criem novas ferramentas para vocês e observem de novo.

Se funcionar, BINGO! Compartilhem.

E sejamos todos os dias mais felizes e realizados.

Com meu coração, vórtice na veia,

Rayra.

Capítulo 10

MENTAL: FERRAMENTAS DE PERMISSÃO — TÉCNICAS DE FOCO PARA MANIFESTAÇÃO DE DESEJOS

As ferramentas de permissão ou técnicas de foco são usadas por uma razão psicológica: afrouxar resistências e ampliar nosso estado de permissão por intermédio da aceitação do nosso próprio bem. Vai do jeito que dá certo para você! Dane-se o resto!

Ferramentas de permissão aceleram manifestações. Todas elas derrubam resistências e convencem o Subconsciente a manifestar o que você quer.

O melhor momento para fazermos afirmações ou trabalharmos com qualquer outra ferramenta de permissão é aquele em que a gente está "tinindo"! Mas como ficar "tinindo" quando está desanimado? Aí é que está: a gente se coloca em um estado de calma, depois sobe a vibração e começa a cantar, dançar ou qualquer coisa que nos deixe tinindo igual a uma criança, aí sim é o momento perfeito para usar a ferramenta, que nessa hora tem muito mais potência para fazer efeito e facilitar o resultado!

Tudo o que baixa suas resistências psicológicas à realização do seu desejo é uma ferramenta de permissão. Portanto:

> Se funciona para você os 22 processos dos Abraham, use;
>
> Se você sente que deve acender uma vela, acenda;
>
> Se você escreve sequências Grabovoi e funciona, use;
>
> Se você gosta de fazer os decretos da Fraternidade Branca, decrete;
>
> Se você gosta de "bater tambor" e isso lhe traz mais confiança, vai na curimba;
>
> Se você se dá bem com palavras, faça Grafoterapia;
>
> Se você não precisa de nada disso, sabe fabricar seu próprio bem-estar e supostamente está acima de todos nós, "mortais", não faça *porra* nenhuma e apenas se sinta bem, só não encha o saco de quem ainda está no nível de precisar de técnicas porque até o ato de meditar não deixa de ser uma bengala.

Enfim, pratique O QUE FUNCIONAR *para você e ponto.*

E lembre-se de dar um solene e sonoro "dane-se" às veladas críticas alheias. Deixe os deuses no Monte Olimpo e siga sua vida. Afinal, "mestres" (oi?) também vão ao banheiro.

Ponto fundamental

Antes de manifestar ou começar a trabalhar qualquer desejo, encontre formas de se sentir bem, pois, se partir de uma plataforma vibracional desconfortável, chateada ou coisa similar, não vai atrair o que quer, mas a falta disso;

pois partindo de um sentimento de resistência, você bloqueia o fluxo do bem-estar e o seu desejo fica impedido de chegar até você por falta de alinhamento vibracional.

Recado dado, vamos conhecê-las:

"As palavras ditas em oração que não estão ligadas ao nosso coração são palavras sem poder."
(Joyce Meyer)

Afirmações faladas

O que são?

Afirmações são ferramentas que facilitam o processo de permitir o bem-estar. Elas põem por terra as resistências pela maneira como nos auxiliam a vibrar na frequência do nosso desejo.

Como fazer

Afirmar durante quinze minutos por dia. Mas, por favor, tenha bom-senso, nas outras 23h45min restantes do dia não contradiga o que afirmar. Enfim, "pedir algo" todo mundo já sabe que é dizer ao Universo que você não tem, então afirme, profetize, declare, decrete o que você quer e tome o cuidado de não contradizer essa vibração ao longo do resto do dia.

Afirmações faladas, no espelho

Fale com você mesmo na primeira ou na terceira pessoa. Ex: "Rayra, você é um sucesso"! Ou "Eu me amo, eu me adoro, eu consigo porque eu sinto que posso".

Afirmações escritas, espalhadas pela casa
Espalhe bilhetes com suas afirmações pela casa toda: porta da geladeira, espelho do banheiro, porta do guarda-roupa, no carro também vale.

Afirmações escritas, de primeiros socorros
Ande com elas na bolsa para quando precisar, escreva em um papel, dobre e deixe lá...

Afirmações escritas quinze vezes por dia
Escolha uma ou duas afirmações curtas e objetivas e escreva-as umas quinze vezes por dia.

Pote das afirmações
Essa eu aprendi com minha amiga e escritora. Aline Silva Dexheimer.

Escolha um pote, escreva afirmações, recorte, dobre, deixe lá e, quando quiser, "tome a pílula azul" (*Matrix*, rs).

Caderneta de milagres (data/desejo/data aprazada):
Faça três colunas em uma folha;
Na primeira coluna, anote a data em que escreveu;
Na coluna ao lado, escreva o objetivo;
Na terceira coluna, escreva a data aprazada para a realização do seu desejo;
Coloque essa folha entre as mãos todos os dias, agradecendo antecipadamente pela realização.

A CARTA NO PASSADO E NO PRESENTE/GRAFOTERAPIA

Crie um texto no tempo verbal do presente, descrevendo a situação como se já estivesse resolvida, coloque ali os sentimentos que você tem ao sentir a solução da coisa realizada, escreva como se já estivesse acontecendo agora.

Importante: Antes disso, coloque-se em um estado emocional de bem-estar, entusiasmo, mas, se o contraste estiver incomodando muito, esteja pelo menos em paz, a grafoterapia tem que ser feita em estado de diversão, como se você estivesse escrevendo em um diário o que aconteceu com você, volte à adolescência e brinque de faz de conta. Faço por 21 dias, mas, se você quiser fazer por mais tempo, *go ahead*!

Carta no futuro
Com uma caneta você cria o seu futuro.
O segredo dos tempos é que você pode criar seu futuro com uma caneta e sua imaginação. Como fazer:
Pegue um papel ou ligue seu computador. Finja que está a um ano de hoje. Escreva uma carta para um amigo, como se você tivesse conseguido tudo o que desejava conseguir, entre em detalhes. Sinta as emoções alegres. Compartilhe seu entusiasmo enquanto detalha seu sucesso. Essa é uma ação individual, que você pode fazer com a frequência que quiser, comandando o Universo para trazer o que precisa para você torná-la uma nova realidade. Ela começa bem agora, com uma caneta.

Caderno dos desejos

Pegue um caderno e escreva o que deseja viver, ter, ser, enfim, vivenciar. Existem duas formas de fazer:

Coloque detalhes como se estivesse descrevendo algo, o que acaba sendo um texto. Há pessoas que se envolvem na fantasia do desejo escrevendo como se estivessem vivenciando a coisa toda. Nesses casos, é muito útil. Mas eu conheci pessoas que usaram esse método e conseguiram o extremo oposto. Por quê? Porque o filtro perceptivo e cognitivo de cada um difere de ser humano para ser humano. A elas eu orientei assim:

Escreva de modo sucinto e objetivo, para que o apego emocional não funcione de modo contraproducente. Exemplo: 1. Peso 60 kg em perfeita ordem divina. Se você sentir que está mentindo para si porque, de fato, em vez de 60, está no momento pesando 86kg, escreva assim: "1.60kg". Você estará focando apenas no que quer sem criar conflitos mentais que só servem para desfocar e desperdiçar sua energia.

Todos os dias, leia. Descontraidamente. Em um de seus livros, Catherine Ponder aconselha a reescrever todos os dias seus objetivos. Já fiz isso. Funcionou também. Fica a seu critério. E ainda há pessoas que fazem isso em uma folha de papel e depois guardam em algum livro da própria afinidade.

Diário feliz ou caderno de pré-pavimentação
Hahaha! Eu adoro isso!
De manhã, antes das atividades habituais, pegue seu caderninho *mágicko* e escreva seu dia, o dia que você está começando, como FOI. Exatamente. Essa pré-pavimentação

é fantástica. Ela o coloca em um *modus operandi* entusiasmado e esse sentimento atrai fatos surpreendentes. Escreva como FOI o dia da maneira mais maravilhosa que deseja vivê-lo. Exemplo sucinto: "Ah, que maravilha, hoje eu bati meu recorde de vendas! Etc".

E, ao fim do dia, independentemente de como tenha sido, escreva de novo, sobretudo se algo não saiu conforme sua história escrita pela manhã. Reescreva esses fatos como você desejaria que tivesse acontecido, no tempo passado. Exemplo sucinto: digamos que você quase bateu a meta de vendas, reescreva assim: "Uau! Sou sensacional! Ultrapassei minha meta de vendas! Wohooooooo!".

O que isso faz? Para começo de conversa, limpa a energia depositada no fato de não ter batido a meta e reprograma eventos para que você não só bata a meta como a ultrapasse. Perceba o seu sentimento quando reescreve um fato. Os sentimentos são o guia perfeito, são o nosso GPS emocional que nos indica com clareza se estamos indo ao encontro de nossos desejos ou contra eles. Ao reescrever uma sentença, assim como ao afirmar algo, perceba se está mecanicamente ali ou se está sentindo o vigor do que está escrevendo e afirmando. Encontre as melhores palavras que lhe despertem o sentimento de "Eu posso! Estou conseguindo! A coisa está vindo! E eu estou no caminho". ;-)

Caixa de agradecimentos

1. Escolha uma caixinha inspiradora;

2. A cada fato gostoso que acontecer, escreva a data e o fato que está agradecendo;

3. Dobre e deixe dentro da caixinha poderosa;

4. Sempre que mexer nela para reler, vai perceber que "fadas encantadas" trataram de outros assuntos mais urgentes.

> Ao fazer uma afirmação mentalista que contradiga as aparências, você não está mentindo – você está formando um NOVO MOLDE MENTAL para influenciar a matéria e assim criar uma nova realidade física (de saúde, relacionamentos etc).

FONOTERAPIA: REPROGRAMAÇÃO SUBCONSCIENTE AO DORMIR

Grave suas afirmações e coloque no fone para rodar no seu ouvido a noite inteira, reprogramando seu Subconsciente.

CANTAROLÂNDIA: A MAGIA DA PALAVRA CANTADA

Essa eu criei e ensinei à minha filha, desde que criei o funk da Rayra e venho ganhando dinheiro de presente, já inventei o funk da autoestima e outros também. E funciona, por quê? Porque enquanto cantamos, nos divertimos e todas as resistências caem.

1. Invente uma musiquinha ou adapte alguma com o assunto que você deseja resolver ou objetivo a manifestar;
2. Coloque ritmo;

3. E rima.

Essa musiquinha vai colar como um chiclete na sua mente e será automatizada em seu Subconsciente muito rápido. E a gente sabe: o que penetra o Subconsciente é expresso em nossa vida como circunstâncias, eventos, fatos, acontecimentos, situações...

RODA DA FORTUNA

Essa é fácil, divertida e gostosíssima. As crianças adoram! Sempre usei esse método com minha filha, ela manifesta tudo o que quer. A menina é abençoada!

1. Escolha uma cartolina da cor que preferir (eu uso cartolina dourada, com sucesso);
2. Recorte de revistas ou imprima da internet e depois recorte as figuras que representam aquilo que você quer;
3. Escolha uma foto sua, uma foto em que você esteja no seu melhor;
4. Faça um círculo grande na cartolina;
5. No centro, cole a sua foto;
6. Em volta, as figuras que recortou;
7. Deixe em um lugar em que você possa admirar, apreciar e se encantar diariamente. Mas só você. Esse é o seu tesouro secreto.

Esse método representa um vórtice, como se você estivesse no centro de um rodamoinho atraindo para si tudo o que está representado lá.

Fiz para meu pai e minha mãe. Tudo que colei ali se concretizou.

E sim, você pode desejar coisas boas para outras pessoas e influenciar a realidade delas. Não é isso que se faz quando alguém entra em oração por outrem?

QUADRO DA VISUALIZAÇÃO (VIRTUAL)

Esse é parecido com a roda, em formato diferente.

1. Você cria em *Power-point* ou outro programa um quadro com tudo o que você deseja, aqui você pode ou não colocar sua foto;
2. Ou você recorta e monta o quadro em cartolina também, fica a seu critério;
3. E pronto.

CAIXA MÁGICKA

A caixa *mágicka* é algo muito simples, mas que efetivamente funciona. O melhor é que é divertido, e ser divertido é fundamental para que a gente acesse os melhores patamares de energia para nosso alinhamento com o desejo. Observe o paralelo que traçamos aqui:

Sabemos que o Subconsciente reproduz em forma de eventos, circunstâncias e condições tudo o que depositamos nele, e a linguagem do Subconsciente são as imagens. Ao introduzirmos figuras do que almejamos, estamos fazendo depósitos e imprimindo no Subconsciente (e consequentemente, mostrando ao Universo) o que desejamos. Resultado: em algum momento da existência aquilo vai ocorrer. É a lei. Para saber como fazer, leia *Peça e será atendido*, é o segundo processo ensinado pelos Abraham.

Caixa mágicka virtual
É a caixa *mágicka* feita no seu computador ou celular.

CAIXA *MÁGICKA* -> SUBCONSCIENTE

1. Selecione da Internet as figuras que representam o que você quer manifestar;
2. Guarde-as em uma pasta que você possa acessar diariamente, longe de olhos alheios;
3. Mantenha no PC e/ou no celular para apreciar e se deleitar sempre que puder.

NA MIRA (*BY* RAYRA KALIDAN)

Técnica pela qual você cola no centro de um alvo um ÚNICO SÍMBOLO do seu desejo e o contempla por alguns segundos ou minutos várias vezes ao dia. Ou, ao menos, ao dormir e assim que acordar. De preferência, deve estar situado bem em frente à sua cama, para que seja a última coisa que veja no dia e a primeira assim que despertar. Pois nesses momentos as resistências estão mais frouxas e o Subconsciente aceita com mais passividade tudo o que lhe é

> **LEMBRETE: APRECIAR É MANIFESTAR.**

sugestionado.

Playlist da vitória (*by* Rayra Kalidan)

É a seleção de músicas que despertem em você o sentimento de "Consegui, *porra*!". Deve ser utilizada nos momentos de visualização de seu objetivo; antes de dormir, ao acordar ou junto com a técnica de Afirmações e Grafoterapia.

Visualização: Cineminha mental

1. Projete uma tela mental à sua frente (há quem prefira dentro da própria mente por visualizar melhor de olhos fechados);
2. Crie um filme mental: nítido, colorido, brilhante, com início, meio e fim. Repita esse filme três vezes por dia, durante cinco minutos em cada vez. Isso basta.

As imagens precisam ser nítidas, coloridas e brilhantes, a fim de impressionarem melhor o Subconsciente. Esteja atento ao cenário e se certifique de que não haja nenhum diálogo que contradiga o que as imagens estão mostrando.

Se você porventura se perder ou for interrompido, comece tudo de novo desde o início do filme. Haja concentração, mas, se você quiser, vai conseguir. Simplesmente porque é uma delícia devanear em imagens desejáveis.

Visualização: imagem fotografada

Há quem não consiga formar um filme mental. A essas pessoas eu dou uma dica que funcionou muito bem comigo:

1. Imagine uma única cena que represente o seu desejo concluído;
2. Em sua mente, clique uma foto dessa imagem: nítida, clara, brilhante e colorida;
3. Mantenha essa "foto" por alguns segundos;
4. Saia e vá fazer outra coisa.

Adendo: da última vez em que usei essa técnica, vivenciei uma paixão "daquelas", tórridas...

Visualização: da bolha rosa

Esta técnica de visualização criativa foi proposta pela maravilhosa Shakit Gawain. Não vou chover no molhado e indico a leitura do livro *Visualização Criativa* que vem acompanhado de um CD.

Outra dica: pesquise "visualização da bolha rosa" no YouTube, tem lá, é só baixar. Ensinei essa técnica a uma manicure com quem eu fazia as unhas e ela conseguiu uma semana

depois mobiliar o lar que estava montando com seu marido. Amei saber disso!
1. Visualize seu objetivo, alcançado;
2. Envolva-o em uma bolha cor-de-rosa;
3. Veja-o subindo ao céu até desaparecer.
Pronto.

Imagenia

Vixe! Essa é antiga! Aprendi nas comunidades do antigo *Orkut*. Desenhe o que você deseja! SÓ ISSO.

Eu fiz e me dei bem. Resolvi uma questão de desarmonia familiar, desenhando exatamente a cena que eu queria. Deu resultado dois dias depois.

Noto que as coisas que desenho vêm muito mais rápido para mim do que as que recorto de revistas, mas isso é uma questão pessoal. Sou da opinião que vale tudo para impressionar o Subconsciente e concentrar o foco para a Lei da Atração atuar.

O celular mágicko (disk cocriar)

Pegue seu celular e comece a conversar com alguém sobre sua manifestação como SE ELA JÁ ESTIVESSE ACONTECENDO.

Na verdade, você não vai telefonar para ninguém, você vai brincar, fazer de conta, como se de fato estivesse falando com alguém do outro lado da linha. Exemplo: você "atende" o celular e conversa animadamente com "algum cliente", festejando o pedido enorme que ele acaba de fazer e desliga, comemorando.

Use o celular *mágicko* a cada duas ou três horas.

Fiz isso em meu primeiro workshop, eu "conversava" direto com a dona do espaço em que o ministrei. Resultado: sala lotada!

Correio mágicko
Envie a si mesmo e-mail, SMS, *inbox* de Facebook uma mensagem informando que o que você deseja ACONTECEU!

Vídeo mágicko
Faça um vídeo em seu celular contando o seu desejo como já acontecido, emocione-se, vibre, dê um verdadeiro depoimento sobre o que aconteceu, como você fez (que técnica usou) e como você se sente realizado! Assista a esse vídeo todo santo dia.

OS 22 PROCESSOS DOS ABRAHAM

Leia sobre eles no livro *Peça e será atendido*, de Esther e Jerry Hicks.

Códigos Grabovoi (Grigori Petrovich Grabovoi)
Grigori Petrovich Grabovoi, nascido em 14 de novembro de 1963 no Cazaquistão, é um médium soviético que afirma a possibilidade de abolir a morte, e identificar e resolver a distância mecânica e problemas eletrônicos em aviões, estações espaciais, estações de energia elétrica, atômicas e quaisquer outras construções técnicas. Ele discute suas habilidades em sua série de três volumes: "A prática do controle, o caminho para a salvação". Doutor

em Ciências e acadêmico, graduou-se na Faculdade de Matemática Aplicada e Mecânica da Universidade Estadual de Tashkent – com especialidade em mecânica, em 1986. O objetivo do ensino de Grabovoi, segundo o próprio, é transmitir o conhecimento do Senhor para as pessoas de todo o mundo, a fim de salvá-las de uma possível catástrofe global e possibilitar que cada um possa alcançar a saúde perfeita.

Cada sequência numérica cria uma vibração muito específica e é projetada para harmonizar os desequilíbrios nas áreas da vida em muitos níveis. Grabovoi desenvolveu mais de mil sequências numéricas para nos dar uma ajuda prática.

Você pode:

1. Escrevê-las em seu corpo (de preferência em tinta vermelha);
2. Escrevê-las em um pedaço de papel e mantê-lo perto de sua pele;
3. Escrever no papel e levar na bolsa ou no bolso;
4. Fixar no computador;
5. Memorizá-las e visualizá-las, cantar ou recitar alto, imaginá-las em torno de você, olhar para elas;
6. Todas as sequências devem ser lidas dígito por dígito.

Onde encontrar essas sequências numéricas?

No Facebook existem vários grupos fornecendo gratuitamente os códigos. Como são inúmeros, é inviável disponibilizá-los todos neste livro, como sugestão sugiro ler: *Terapia Integrativa de Grigori Grabovoi*.

Códigos de Agesta

Eu adoro Agesta e tenho resultados ultrarrápidos com eles. Mas essa é só minha experiência pessoal, tente o que funcionar melhor para você.

Esses códigos foram canalizados por José Gabriel Uribe (Agesta é seu nome cósmico) e a maioria do material que conhecemos está em espanhol.

Como fazer?

Basicamente, é assim:

– Sintonize seu eu interior, agradeça ao Universo pela oportunidade do conhecimento ter chegado até você e diga em voz alta ou mentalmente:"Eu, ..., estou aplicando e ativando aqui e agora o código (número do código) para (escreva aqui a intenção)";

– Repita o código 45 vezes;

– Ao fim, dizer: "Código ($n.°$) aplicado e ativado em mim. Obrigado, Universo";

– Os códigos podem ser ditos como um único número (por exemplo, 10243), um de cada vez (um, zero, dois, quatro, três);

– O número de dias para praticar os códigos depende de você. Faça até manifestar o que está pedindo;

– Pode ser feito a qualquer hora e em qualquer lugar.

Como Agesta diz, auxilia usar um colar (japamala) ou uma corda com 45 contas ou nós.

– Você pode dizer o código mentalmente ou usando a voz. Será criada uma vibração desses números para sintonizar dimensões superiores e desenvolver habilidades psíquicas, tais como telepatia, clarividência, clariaudiência e intuição;

– Se encontrar ocasionalmente códigos repetidos, isso não é um erro; o que acontece é que existem códigos com várias funções.

Assim como os códigos Grabovoi, os de Agesta são muitos e sugiro a adesão ao grupos que disponibilizam o material gratuitamente no Facebook.

Os 72 nomes de Deus

Essa ferramenta MA-RA-VI-LHO-SA vem da tradição da Cabala e são os 72 nomes de Deus, em hebraico. Indico e recomendo vivamente a leitura do livro *72 nomes de Deus: guia prático*, de Alexandre Chagas. Conforme consta em seu livro: "cada um dos nomes é composto por três letras e cada um serve para nos conectar com uma faixa vibratória".

1. Escolha um dos 72 nomes de Deus, conforme sua intenção;
2. Escaneie da direita para a esquerda cada letra;
3. Fim.

Eu achei um jeito muito útil para mim e agora repasso a você: eu imprimo o nome que corresponde ao meu desejo, deixo na minha cabeceira sob uma garrafa de água de vidro; antes de dormir e ao acordar, escaneio as letras e bebo um gole. O negócio é rápido. Desenrolei uma questão profissional em dias e levei uma boa grana nisso. Yes! \\$//.

Segue a tabela, como ilustração:

01	Túnel do tempo
02	Recuperando a Luz
03	Criando milagres
04	Controlando pensamentos
05	Cura total
06	Estado de sonhos
07	DNA da alma
08	Eliminando o stress
09	Influências angelicais
10	Proteção contra mal olhado
11	Purificando os lugares
12	Amor incondicional
13	Paraíso na Terra
14	Sem armas
15	Visão de longo alcance
16	Saindo da depressão
17	Sem ego
18	Poder da fertilidade
19	Discando Deus
20	Vencendo os vícios
21	Eliminar as pragas
22	Banindo a atração fatal
23	Compartilhando a chama
24	Livre dos ciúmes
25	Fale o que está pensando
26	Ordem a partir do caos
27	Sócia silenciosa
28	Almas gêmeas
29	Eliminando o ódio
30	Construindo pontes
31	Termine o que começou
32	Memórias
33	Revelando o lado negro
34	Esqueça de você mesmo
35	Energia sexual
36	Sem medo
37	Vendo a grande figura
38	Criando circuito
39	Diamantes em estado bruto
40	Falando as palavras certas
41	Autoestima
42	Revelando o oculto
43	Mente sobre a matéria
44	Sem medo
45	Poder da prosperidade
46	Certeza absoluta
47	Diamantes em estado bruto
48	Falando as palavras certas
49	Felicidade
50	O suficiente não é suficiente
51	Sem culpa
52	Adoçando julgamentos
53	Dando sem esperar nada em troca
54	Certeza absoluta
55	Dignidade humana
56	Unidade
57	Ouvindo sua alma
58	Seguindo em frente
59	Cordão umbilical
60	Paixão
61	Poder da água
62	Eliminando a morte
63	Pensamento em ação
64	Dissipando a raiva
65	Temor a Deus
66	Responsabilidade
67	Grandes expectativas
68	Liberdade
69	Achando o caminho
70	Pais-mestres não pregadores
71	Universos paralelos
72	Purificação espiritual

Frequências Solfeggio

As origens das frequências Solfeggio remontam aos tempos antigos, quando elas foram cantadas em cantos gregorianos durante as cerimônias religiosas em igrejas da época.

Temos, como exemplo, a frequência de 528 Hz, que é conhecida como o "528 Milagre", porque tem a capacidade notável para curar e fazer o reparo do DNA dentro do corpo. É a frequência exata que tem sido usada por bioquímicos na genética.

Muito material superdetalhado está disponível. Eu sei o suficiente que preciso e fim. Uso as frequências para alcançar meus objetivos e isso é tudo o que eu faço.

    1. Saiba que ao ouvir uma frequência Solfeggio você estará entrando em consonância com a frequência vibratória que escolher;

    2. Ouça uma vez por dia, de preferência em momentos tranquilos, como antes de dormir.

Eu, pessoalmente, ouço a qualquer hora e, mesmo que eu esteja ocupada com outra atividade, deixo tocando pois sei que, embora meu Consciente esteja com a atenção voltada para afazeres, meu Subconsciente está captando tudo e registrando o som.

Tive resultados muito bons e rápidos com a frequência 639 e a 741.

Segue lista para sua escolha:

CURA POR SONS PELO USO DOS TONS SOLFEGGIO

174 Hz – segurança e amor. Para incentivar as suas células para fazer o seu melhor. Reduz a dor energicamente.

285 Hz – campos de energia de influência que enviam mensagens para seu corpo se reestruturar. Deixa o seu corpo rejuvenescido e energizado.

396 Hz – a culpa muitas vezes representa um dos obstáculos básicos à realização. Liberação da culpa e do medo, permite o alcance das metas de forma mais direta.

417 Hz – produz energia para trazer a mudança e elimina influências destrutivas de eventos passados. Coloca-o em contato com uma fonte inesgotável de energia.

528 Hz – traz transformação e milagres em sua vida (reparo do DNA). Ativa a sua imaginação, intuição e intenção de operar para o seu propósito maior e melhor.

639 Hz – conexão e relacionamentos, aqueles na família, entre parceiros, amigos ou problemas sociais. Ao falar sobre os processos de conexões, essa frequência pode incentivar a conexão para se comunicar com seu ambiente.

741 Hz – leva-o para o poder de autoexpressão, o que resulta em uma vida pura e estável. A intenção por trás dessa frequência é resolver e limpar.

852 Hz – vê através das ilusões da sua vida, aumenta a consciência e permite voltar à ordem espiritual.

963 Hz – a frequência de 963 Hz está conectada com a luz e ativa experiência direta. Reconecta com o espírito.

Radiestesia (usando o pêndulo para manifestar desejos)

A Radiestesia me encanta desde sempre, fui apresentada a ela quando fiz meu curso de Feng Shui. Comprei um pêndulo e o programei:

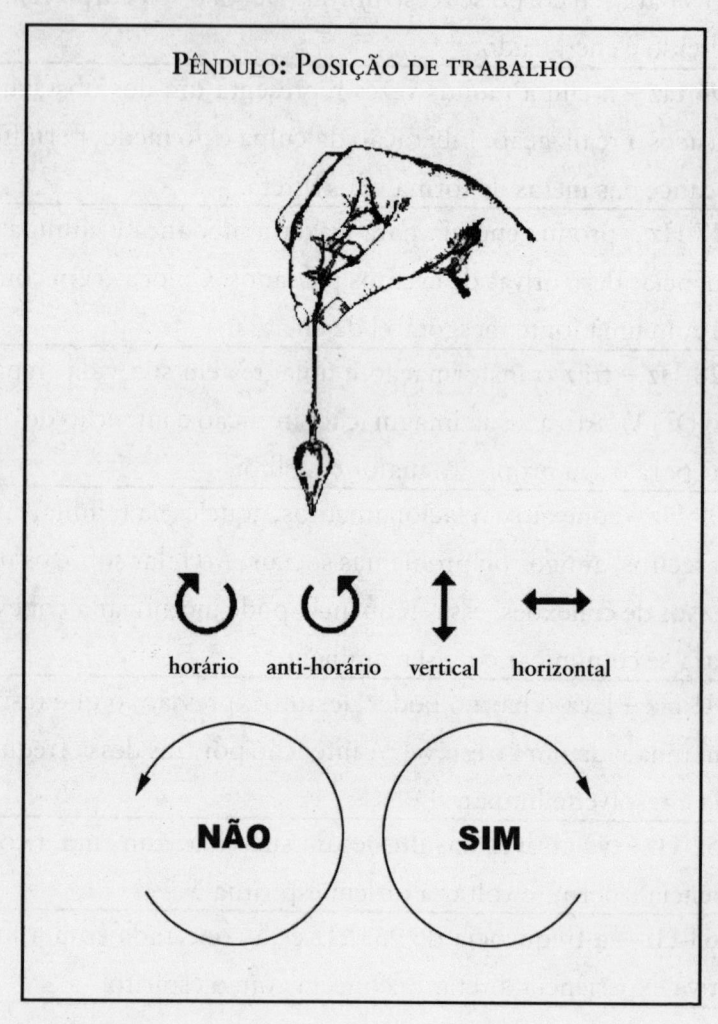

Pêndulo: Posição de trabalho

horário   anti-horário   vertical   horizontal

NÃO   SIM

- Movimento para frente e para trás: sim;
- Movimento circular em sentido horário: sim;
- Movimento de um lado para o outro: não;
- Movimento circular em sentido anti-horário: não.

Como fazer
É muito simples. Quando quero usar o pêndulo para a manifestação de desejos:

1) Escrevo em um papel meu objetivo;

2) Pendulo para frente e para trás intencionalmente por vários minutos todos os dias. Só isso. E percebo que ele entende meu recado, pois, nos dias seguintes, mesmo que eu não o balance, assim que o coloco sobre o papel, ele balança sozinho em sinal positivo.

Referências para sua leitura:
Cinestesia do saber, Prof. Renato Guedes;
Radiestesia prática e ilustrada, Antônio Rodrigues;
Os gráficos em Radiestesia, Antônio Rodrigues;
Gráficos de Radiestesia, Paulo César Vianna[*].

Tudo é muito simples e não dá trabalho nenhum. Eu estranhava muito que técnicas simplórias como essas podiam impressionar meu Subconsciente e sensibilizá-lo de modo a operar em meu favor, mas, como uma boa cientista de mim, eu coloquei em prática e anotei os resultados. E foi por isso que disponibilizei aqui para você.

---

[*] Ver referências bibliográficas no fim do livro.

Três palavras sobre as técnicas

Nem sempre duas pessoas têm o mesmo resultado utilizando a mesma técnica. Por isso, é importante você conhecer o que funciona PARA VOCÊ. E como você descobre? Testando.

Eu dou umas três semanas para cada técnica de apoio que descubro e desejo usar, fico atenta aos sinais de manifestação com aquele sentimento da criança procurando o ovo de Páscoa: ela sabe que o ovo está lá, só não sabe exatamente onde, e isso a empolga na hora de procurar o presente. Passadas as três semanas, se nada acontecer, troco a ferramenta. E, confesso, imediatista como sou, três semanas para mim já é muito.

Mas, obviamente, como já mencionado, a demora tem mais a ver com as resistências que mantemos e a permissão que nos damos (ou seja, bem-estar que nos proporcionamos) e, logicamente, existem manifestações que levei meses para trazer à terceira dimensão. Normal.

Ninguém é obrigado a manifestar coisa nenhuma em dias. Se você se cobrar ser o "Super-homem" ou a "Mulher maravilha" dos manifestadores, sinto dizer que vai se decepcionar muito. Até porque você não tem e nem precisa provar nada para ninguém.

Você só deve fazer da maneira como sentir que será mais prazeroso a você. O critério do Criador Intencional é: só faça o que lhe faz bem e dá prazer. Se não for divertido, não faça. Quando uma técnica se torna um fardo, eu largo a p... toda e vou à praia. Só me mantendo praticando o que me fornece as sensações de: prazer, conexão com a fonte e confiança no resultado. Por essa régua, eu avalio se a técnica vai funcionar para mim. A sensação de confiança (aquele sentimento de: "uau, vai dar certo") que a técnica lhe proporciona sentir é o que faz dar certo.

O que fazer com o racional? Se você duvida, duvida, duvida e busca explicações racionais para tudo, alimenta suas amebas e seus nós (eu aceito docilmente que coisas ditas como "absurdas" acontecem, simplesmente aceito e usufruo delas), bote esse racional para dormir e passe a sentir. Em um multiverso de realidades multidimensionais, há influência e receptividade e N realidades paralelas. Independentemente da explicação racional do processo, fatos são fatos. Descobrir como ou por que determinada coisa ocorre pode, sim, ser interessante (para mentes que raciocinam em seu pleno direito), mas também pode ser um desperdício de tempo frente a todas as possibilidades que podem ser manifestadas. Raciocinar é divino. O excesso e a necessidade crônica de dissecar o processo também podem indicar uma resistência profunda sobre um assunto que, embora amemos, no fundo não acreditamos. Eu desapego do processo: essa afirmação libera toneladas de bloqueios.

Argumentação com o Universo (by Rayra Kalidan)
Minha Fórmula Pessoal de Realizar Sonhos e Manifestar Milagres ou
Fórmula Instantânea de Desativação de Limites

Esta é a parte mais preciosa do livro, é a parte escrita por descoberta pessoal. Existe uma ordem lógica e sequencial neste trabalho. Ele foi desenvolvido com base em minha experiência pessoal e no trabalho que desempenho com meus clientes. Os resultados espantam, são assustadoramente surpreendentes. Reserve um tempo para isso. Comprometa-se com você. Vamos botar a mão na massa e trabalhar o mecanismo de dor e prazer no Subconsciente.

Decrete a você, no seu mundo, leis produtivas que o apoiem. Muitas vezes criamos leis inúteis a nós mesmos, um exemplo é: "Sempre que eu lavo o carro, chove". A fim de elevarmos o nosso nível de satisfação pessoal, como podemos proceder? Determinando crenças que nos apoiem e fundamentando-as em exemplos da vida real.

Sempre existem evidências que apoiam nossas crenças, são os tijolinhos que as constroem. Dessa forma, criamos em nosso mundo nossas próprias leis.

Funciona assim:
Afirmações repetidas se tornam crenças;
Crenças mantidas tornam-se a vibração dominante;
Vibrações praticadas em 51% do dia, todos os dias, alteram nosso ponto de atração na escala emocional;
Nosso ponto de atração alterado para melhor, começam a irradiar de nós sinais;

Sinais são propagados no Universo através da Lei da Atração;

A Lei da Atração orquestra pessoas, circunstâncias, situações e eventos de acordo com a oferta vibracional enviada para lhe entregar o seu desejo com equivalência exata ao sinal emitido (por isso a importância de manter a vibração pura, sem contradições);

Pronto, a manifestação é o próximo passo lógico.

I - Obtendo clareza

1) O que eu não quero? (O que me incomoda e me faz infeliz?)

2) Como isso me prejudica e como me sinto me mantendo nessa situação?

3) O que eu quero? (O que eu quero <u>mesmo</u>)

4) Faça um check-list das características do que quer.

5) Na verdade, eu quero me sentir ____ : e liste como quer se sentir.

II - Identificando e removendo bloqueios

6) *Identifique as resistências:* O que penso, quais são as crenças contrárias, as resistências ao meu desejo?

Por que acho que não posso obter o que quero, ou acho difícil, ou não mereço?

Ex.: Eu quero X, mas _____ (complete a frase).

7) *Derrube/desative as resistências:* Escreva argumentos que invalidem as crenças negativas que cultivou até então.

São afirmações que permitem. Busque exemplos de pessoas que obtiveram o que você quer mesmo em condições desfavoráveis, que contrariem a lógica. Ou também de momentos de sua vida em que você já sentiu a satisfação de um desejo atendido. Registre exemplos da vida real que provem, evidenciem que seu desejo é possível. Você estará cimentando os tijolos da construção das bases e crenças que escolheu:

Ex.: Eu quero_____, mas _____, ENTRETANTO _____ (complete a frase).

8) *Indo mais fundo:* Essa é a pá de cal. Agora, vamos "na veia".

Todo problema se mantém porque, no fundo do inconsciente, há uma "vantagem oculta", isso bloqueia a manifestação do seu desejo.

Se você deseja manifestar algo, desista da satisfação emocional que consegue por estar onde se encontra. Recuse-se a ser hipnotizado pelas aparências. A atenção que você consegue por estar doente, ou a comodidade por estar desempregado e não precisar acordar cedo nem encarar o trânsito, nada disso pode ser maior que sua motivação interna em concretizar uma meta.

Responda: Que tipo de suposta vantagem eu tenho me mantendo nessa situação de "merda"?

III – Girando o eixo, mudando o foco

9) *Defina os benefícios do seu desejo:* Agora que você já sabe o que o segura mais no fundo, responda, completando a frase: Apesar da "suposta vantagem" de permanecer nessa situação incômoda, vai ser muito melhor obter/manifestar X, porque _____
___.

Escolhendo vantagens maiores e melhores do que permanecer onde e como está. Algo cujo impacto emocional supere e muito o "benefício" de permanecer nessa circunstância atual.

10) VÁ MAIS ALÉM. E especifique por que o seu desejo é bom para você (e para alguém, se for o caso). Vá ampliando a lista de prós. Esse é um exercício delicioso!
Ex.: Desejo _____ porque _____ (e liste uns 87 motivos).

Ajudinha...
Gere argumentos que embasem e, se quiser, complete as frases abaixo com as afirmações que permitem:
 a) Esse desejo é possível porque_____
 b) Esse desejo é fácil porque_____
 c) Eu mereço porque _____
 d) Eu posso porque _____
 e) É seguro porque_____
 f) E eu o aceito.

IV – Vivenciando antecipadamente sua realização

11) Como você vai desfrutar da sua manifestação? O que vai fazer com o que conseguir?

12) Como você se sentiria se seu desejo se realizasse agora? Ou daqui a uma hora? Escreva isso.

13) Como seria escrever um depoimento/relato sobre sua manifestação? Escreva agora.

14) Como é a rotina diária de uma pessoa que alcança o que você quer? Antecipe-se e prepare-se para receber, vivendo essa rotina desde já. \\o//

V – Bora focar

15) Escolha uma imagem que representa seu desejo e cole em um alvo.

16) Escolha uma frase que o inspire sobre seu desejo.

17) Escolha uma música que lhe traga a sensação de conseguir.

18) Escolha um cheiro que lembre seu desejo.

19) Escolha um sabor que lembre seu desejo.

20) Diariamente, a cada hora, foque a sensação de alcançar o desejo (como você se sentiria se seu desejo se

realizasse agora?), segure isso, sustente por cinco minutos e pule, cante, dance e viva isso!

VI - Textos de ajuda

a) Reconheço que meu desejo já existe e é possível para mim porque _____. Também sei que ele é fácil de se realizar porque _____ e sou merecedora porque _____. Além disso, eu aceito manifestar _____ porque o que quero mesmo é me sentir _____.

Agradeço de coração ao Universo por cada vez mais eu manifestar minha capacidade criadora, pois vim aqui para isso!

b) Modelo dos Abraham:

Eu quero (escreva o desejo_____). Ao fazer essa declaração de intenção, eu coloco a criação em movimento. Agora, eu tenho apenas que permitir que ocorra e vai acontecer. Meu Sistema de Orientação me alertou que, por um momento, eu estava afastando isso de mim, mas eu parei de pensar daquela maneira e agora estou atraindo com meu desejo mais forte! Fico muito feliz quando penso que_____ já está vindo para mim, imagino (descreva a cena sobre seu desejo_____). Gosto de pensar em tudo o que farei com _____ e me sinto muito feliz ao pensar nisso. Circunstâncias e eventos fortuitos não podem evitar que eu o tenha. Somente meus pensamentos podem afastá-lo. No entanto, agora, meus pensamentos estão atraindo _____ e eu sei disso porque estou sentindo emoção positiva.

c) Sei que _____ está em minhas mãos agora. Mesmo que pareça impossível, todas as respostas e soluções aparecem de repente e eu triunfo.

21) Esteja atento às inspirações para fazer ações inspiradas.

22) Observe que, a partir daí, "coincidências" e sincronicidades vão começar a aparecer imediatamente. É sério! Comigo, começam logo no dia seguinte ou pouquíssimos dias depois. E você precisa estar atento aos sinais de manifestação. Aí é que entra: registre-os. Por escrito. Isso embasa e fundamenta sua convicção de que *saporra* funciona. Você se sentirá mais feliz e, de fato, respondido, vai começar a perceber que seu relacionamento com a Fonte é uma via de mão dupla! Criar é delicioso! \\o//

Todo esse processo de escrever e trabalhar suas crenças o põe em sintonia direta com o seu desejo e convence seu Subconsciente, que moverá Céus e Terras a seu favor, atravessará mares e continentes e a Lei da Atração entregará a você a sua meta, pois você passa a oferecer uma vibração sem resistências, pura, sem contradições, muito mais a favor de você, e a manifestação vem a jato. É um turbo!

Observe que, ao fim desse trabalho de criação com palavras, as sensações são outras, porque a sua sintonia é com a presença do objetivo (e não a falta dele).

Parte 3
O PLUS

Capítulo 11

O treinamento: As cinco habilidades mentais básicas do Criador Intencional

Aqui, começamos o treinamento das habilidades mentais básicas do Criador Intencional. Treine, fique fera e altere a realidade ao seu redor. E, de preferência, comece hoje!

Relaxamento

O que é?
É a sensação de conforto quando você se despreocupa e se permite estar sereno. O relaxamento se dá quando os músculos do seu corpo são estimulados a abandonar a tensão cotidiana.

Benefícios
- Menor incidência de dores
- Mente serena
- Aura desbloqueada

Por que é fundamental?

Sem o relaxamento, você nem consegue começar a criar nada, manifestar coisa nenhuma, porque a tensão é um bloqueador automático, que estimula a ansiedade, e esta corta toda a energia que você enviou para a materialização de um objetivo. Ou seja, sem relaxar, você dá um tiro no pé.

Como fazer
Preparação:

Inicie o relaxamento se certificando de que não será incomodado;

Desligue o celular, a TV e guarde o notebook;

Avise em casa que você está ocupado e não pode ser interrompido. Sempre avisei à minha filha e ela se habituou ao fato de que "mamãe tem um tempo para ela". Como a eduquei desde pequena, ela respeita minha privacidade;

Este momento é seu.

Costumo indicar o relaxamento após um banho morno, gostoso...

Vamos começar:
Deite-se;
Feche os olhos;
Respire fundo três vezes;
Nessa respiração infle o abdômen (e não o tórax);
Tensione os pés e inspire;
Expire e relaxe os pés;
Inspire e tensione a panturrilha (batata da perna);
Expire e relaxe a panturrilha;

Inspire e tensione as coxas;
Expire e relaxe as coxas;
Inspire e tensione glúteos e órgãos sexuais;
Expire e relaxe glúteos e órgãos sexuais;
Inspire e tensione o abdômen;
Expire e relaxe o abdômen;
Inspire e tensione as costas. Mesmo;
Expire e relaxe completamente os músculos intercostais;
Inspire e tensione as mãos;
Expire e relaxe, descontraia as mãos;
Inspire e tensione antebraços e braços;
Expire e relaxe antebraços e braços;
Inspire e tensione o trapézio. Muito;
Expire e relaxe o trapézio. Completamente (nessa região está concentrada a maior parte das tensões do dia a dia);
Inspire e tensione o couro cabeludo;
Expire e relaxe o couro cabeludo;
Inspire e tensione o rosto, faça caretas (mova tudo em seu rosto);
Expire e relaxe o rosto;
Inspire *profundamente* e *contraia todo o corpo*;
Expire TUDO, descontraindo ao máximo todos os músculos do corpo.

Faça essa inspiração e expiração contraindo e relaxando o corpo todo de uma só vez por três vezes.
Curta a sensação do nada.
Aproveite...

Outras formas de relaxar

Faça em si mesmo:
Reflexologia podal e nas mãos também, dê preferência ao óleo de semente de uva.

Yoga
Alongamento
Automassagem
Pintura
Dançar
Desenhar
Ler um livro

MEDITAÇÃO

O que é?
Meditação é a arte de não fazer nada. E estar confortável com isso.

Benefícios:
Abaixa a pressão sanguínea;
Redução de ansiedade;
Aumenta a produção de serotonina, melhorando o humor;
Melhora o sistema imunológico;
A meditação traz o padrão de ondas cerebrais ao estado Alfa, o que promove cura;
Aumento da estabilidade emocional;
Aumento da criatividade;
Desenvolve a intuição;
Clareza mental;
Harmonia no ambiente.

Por que é fundamental?
Você deve praticar porque a paz conquistada com a meditação acelera toda e qualquer manifestação.

Como fazer:
Escolha um lugar calmo onde saiba que não será incomodado;
Desligue o celular;
Sente-se ou deite-se;
Respire profundamente inflando de ar o abdômen (o tórax não);
Foque na respiração e só.

Inicie com cinco minutos até conseguir chegar a vinte minutos por dia.
É igual a banho: tem que ser todo dia.
Depois que se habituar, ficará um tempo bem maior que vinte minutos e poderá, inclusive, treinar habilidades extrassensoriais se desejar. Aprecie sem moderação.

CONCENTRAÇÃO / FOCO

O que é?
É a capacidade de manter a atenção direcionada a um alvo. De maneira tranquila, fria e natural.

Benefícios
Maior capacidade de concentração.

Por que é fundamental?

Simples. A arte da Criação Intencional (Ciência da Criação Deliberada) é somente foco.

O que as ferramentas de permissão/bengalas/recursos psicológicos/métodos de impressionar o Subconsciente/recursos psicológicos são: maneiras lúdicas e simbólicas de direcionar e manter o seu foco.

Atenção dispersa queima energia, dissolve objetivos, sabota e não serve para nada, a não ser frustrá-lo.

Existem inúmeras maneiras e em meu treinamento eu uso muito o recurso do alvo, a vela e o copo d'água com areia.

O alvo
Imprima um alvo, cole uma imagem desejável no centro e olhe para o centro do alvo, para a imagem pelos minutos que conseguir, mantendo a mente nisso.

Vela

É a que eu mais uso. Acenda uma vela no escuro. Fique olhando para a chama da vela o maior tempo possível (não faça com crianças por perto, isso é um treinamento, esteja sozinho para treinar a si próprio).

Copo d'água com areia

Encha um copo de água, coloque areia dentro. Mexa bastante até misturar bem. Pare e observe a areia no copo até que desça completamente até o fundo.

PROJEÇÃO DE ENERGIA

O que é?

É o envio consciente de energia a determinado objetivo ou pessoa, com eficácia.

Praticantes de Reiki fazem isso sem esforço.

Benefícios

Controle do próprio sistema nervoso;
Deliberação do próprio ectoplasma;
Autoconfiança plena.

Por que é fundamental?

Vou lhe responder com outra pergunta: você já viu por aí um grande realizador sem autoconfiança? A maneira mais intencional de treinar é vendo por si mesmo o que sua energia faz.

Certa vez, uma planta da minha mãe estava morta. Enviei conscientemente energias de cura por dez minutos só. No dia seguinte, apareceu minha mãe em meu quarto toda feliz: "Rayra, minha filha, a plantinha reviveu!". Fiquei feliz.

Você pode beneficiar seus pets, amigos e familiares com isso. O contrário também acontece e eu não sou hipócrita.

Tanto para o bem como para o mal, para projetar energia você precisa de três itens:

    1 – Sua energia intencional;
    2 – Um condensador energético;
    3 – Um endereço vibratório.

Sua energia intencional é o objetivo claro em sua mente.

O condensador energético é algo através do qual sua energia será transportada (e quem professa as religiões de matrizes africanas entende bem do assunto). Equivale a um testemunho, usado na Radiestesia, por exemplo. Uma foto, um objeto, um oberó, um símbolo.

E o endereço vibratório é ao que ou a quem você deseja enviar a energia intencional.

Exemplo 1:

    Item 1 – Sua ENERGIA INTENCIONAL, neste exemplo, seria o pronto restabelecimento da saúde de alguém;

    Item 2 – CONDENSADOR ENERGÉTICO: a foto de seu parente adoentado;

    Item 3 – Um ENDEREÇO VIBRATÓTIO, no caso, seu parente.

Pegue a foto, coloque entre as mãos e visualize seu parente completamente restabelecido. Anote em um caderno as alterações na saúde dele após a sua projeção e o seu envio de energia.

Exemplo 2:

Item 1 – Sua ENERGIA INTENCIONAL, neste exemplo, seria a resolução de uma questão na Justiça;

Item 2 – CONDENSADOR ENERGÉTICO: o processo ou a cópia dele;

Item 3 – Um ENDEREÇO VIBRATÓRIO. No caso, o juizado/comarca que está julgando sua causa.

Coloque o processo na sua frente. Com suas mãos em forma de concha, envie através dela a palavra "SOLUÇÃO" ao endereço vibratório, que, no caso, é a comarca, jurisdição, juizado que está responsável pelo desenrolar do processo.

Em seu caderno, anote o dia do envio da energia e as novidades a respeito.

EXERCÍCIOS PRÁTICOS PARA SEU TREINAMENTO

Exercício 1 – Para fazer sozinho ou em dupla

Escolha um objeto ou faça junto com um amigo;

De suas mãos projete a palavra "calor" por alguns minutos;

Toque o objeto ou as mãos de seu amigo e verifique a temperatura;

Repita o processo com a palavra "frio".

Exercício 2 – Para fazer em dupla

Peça que seu amigo fique de pé, de frente para uma parede e de costas para você;

Esfregue as mãos;

Faça uma bola de energia entre suas mãos, visualize isso;

Escolha uma parte do corpo dele;

Lance essa bola de energia em forma de nuvem ou bola mesmo (cuidado, não o machuque);
Verifique se ele sentiu onde você jogou a energia.

Variante (esse exercício é um sucesso nos workshops!)
Peça que seu amigo fique de pé, de frente para uma parede e de costas para você;
Esfregue as mãos;
Devagar e silenciosamente, vá caminhando em direção a seu amigo que não está o vendo e faça uma espécie de cócegas a distância;
Combine com ele que ele deve se virar quando sentir sua energia se aproximando;
Verifique a que distância ele percebeu você;
Quanto mais distante, mais potente você estará na projeção/envio de energia.

Em tempo:
Use essa técnica com sabedoria. Seja responsável. Recado dado!

A QUINTA HABILIDADE SECRETA

O que é?
"Criar a Terra" (utilização dos cinco sentidos), aterrar, ancorar na terceira dimensão o seu desejo.
Usar os cinco sentidos para impressionar o seu Subconsciente, transportar-se para a dimensão mental em que o desejo já existe e trazê-lo para cá.

De certa forma, eu mencionei esse assunto na minha Fórmula Pessoal de manifestar Milagres, mas o assunto é tão fundamental que merece estar em um capítulo específico do Treinamento de um Criador Intencional.

Benefícios
Aceleração *turrrrrbo* dos seus projetos.

Por que é fundamental?
Porque sem sentir seu objetivo, você não o experimenta.

Como fazer
Treinamento/Exercício: Desenvolva os cinco sentidos.

Visão: Imagine mentalmente uma fruta.

Audição: Quando você morde a fruta, que barulho faz? *Croc croc* (como em uma maçã) ou um barulho de algo cremoso (como abacate)?

Este exercício é elementar, mas fundamental. Pense que você deverá utilizá-lo para ancorar sensações, e sensações sensibilizam e impressionam seu Subconsciente. Ocorrido isso, a Lei da Atração começa a orquestrar os fatos para trazer a essência de seus pensamentos a você.

Tato: Imagine-se tocando, segurando essa fruta. Que textura tem?

Paladar: Qual é o sabor: doce, ácido, azedo?

Olfato: Que cheiro tem?

Quando estiver "afiado" com o exemplo de uma simples fruta, siga esta escala de complexidade:
Imagine um prato salgado e desenvolva a sensação mental dos cinco sentidos de provar o que tridimensionalmente não está na sua frente;
Veja-se entrando em um carro e associe a isso: uma cor (a cor do carro - visão), o barulho do motor ao ligá-lo (audição), a textura dos bancos e do volante (tato), o sabor do chiclete que está mascando ao dirigir (paladar), e o cheiro do carro novo (olfato);
Nesta mesma pegada, projete-se em um lugar que deseja conhecer e atribua/associe os cinco sentidos a este lugar;
Quando você chegar aí, escolha um objetivo pessoal a manifestar e CRÉU!

Uma palavra sobre tudo isso
Este é um livro PRÁTICO, recheado de técnicas e recursos que o ajudam a criar/manifestar/materializar/concretizar a vida que você quer.
Escrevi com base em minhas experiências de cura em família, cura pessoal, salvamento de uma quase falência financeira em família e muitos outros sonhos que realizei.

Este livro PRÁTICO não é baseado em teoria, é fundamentado nos anos de estudo em que eu tentava e quebrava a cara com a Lei da Atração e nas EXPERIÊNCIAS MARAVILHOSAS que obtive depois que organizei a compreensão da lei em minha mente e desenvolvi um método seguro, ao qual recorro sempre que preciso e, por amor à humanidade e desejo profundo de levar alegria ao mundo, resolvi escrever e compartilhar com VOCÊ, que está lendo agora que a Lei da Atração, *Saporra Funcionaaa*!

Funciona sim e, agora, você já sabe COMO USAR.

Eu amo você.
Muito obrigada,
Rayra Kalidan

Capítulo 12

COMO REAGIR AOS CONTRASTES QUANDO TUDO VAI BEM?

PRINCÍPIO DA NÃO RESISTÊNCIA

Registra o livro sagrado dos cristãos, a Bíblia, que o mestre Jesus (tenha existido de fato ou não) ensinou "Não resistais ao mal" e, com isso, ele teve uma grande "sacada": aquilo a que você resiste, persiste. Conceito para lá de propagado no livro *Conversando com Deus*, de Neale Donlad Walsh. E é verdade. Os Abraham são muito objetivos quanto a isso: a Lei da Atração expande o que for o foco da sua atenção, portanto, seja inteligente e use a Lei a seu favor: aconteceu algo inesperado que você não queria? *Pahhhhhhh*! Não se desepere. VOCÊ PRECISA ACHAR UM MODO DE SE MANTER ESTÁVEL EM MEIO AO CAOS.

ACEITAÇÃO

Compreender que isso é projeção própria. Não há vítimas, nem culpados. Não há punição, mas a expressão da sua vibração dominante. De alguma maneira, você alimentou por tempo suficiente um sentimento, na maior parte dos seus dias, e isso vibrou na sua aura, irradiou um sinal para o Universo: "Ei! Venham até mim todos os fatos condizentes com este sentimento de merda que eu me permito realimentar dia após dia! Venham!". Sem culpa, apenas assuma 100% da responsabilidade sobre o fato e permaneça estável.

"JÁ TÁ TUDO RESOLVIDO" E ESPERE ALGO FANTÁSTICO

Pois é, aí é que a porca torce o rabo. Em meio a uma situação delicada, horrorosa e caótica, tipo "sem saída", há que se ter um controle emocional bem treinado para no meio de tudo isso pensar: "Já *tá* tudo resolvido! Mal posso esperar a maravilha que vem daí!". Mas essa eu aprendi "na marra". Só após testar muitas vezes isso em mim, eu transformei a "água em vinho". Situações muito difíceis foram transformadas somente porque eu não me dei outra opção a não ser repetir para mim diuturnamente: "Já *tá* tudo resolvido". Não havia o que fazer. De um lado, o Mar Vermelho, e, do outro, o exército egípcio. E eu lá no meio! Ou era isso ou eu perdia. Mas mesmo despedaçada em meus sentimentos, eu me dava uns três tapas na cara, respirava fundo e me disciplinava a raciocinar assim. Hoje, é minha estratégia e, quando atraio inconscientemente algo triste de viver, "já *tá* tudo resolvido". E, invariavelmente, eu viro "de goleada". É por isso que estou partilhando essa minha descoberta com vocês.

Literalmente, isso já SALVOU minha vida...

Capítulo 13

Os testes de fé

Você pode ter tudo o que quiser, contanto que não PRE-CISE disso. A urgência e o desespero colocam seu desejo a quilômetros de vocês.

Quando você puder alcançar essa espécie de indiferença, vai chegar lá. Seu desejo vem para você. É sério. Porque será apenas e tão somente uma ES-CO-LHA, e não uma necessidade desesperada.

Confie na atuação da Lei, assim como confiam na lei da gravidade. Mais uma vez, tive uma prova irrefutável no campo material e posso afirmar: entregue-se ao Poder que PODE. Essa energia imaterial criadora de todo esse Multiverso lhe entregou uma lei na mão para que a utilize de modo consciente, intencional, estratégico e inteligente. Não falta mais nada. Basta usar! Posso agradecer com os olhos úmidos, pois é um fato.

Se você se desesperar, e não digo que não tenha motivos para isso, estará usando a lei do esforço revertido: aquele tipo de esforço e apego que o afundam ainda mais na areia movediça da qual você só quer se livrar. E, nesse ponto, se torna um grande guerreiro, lutando, gastando e desperdiçando energia, criando por meio da luta: opositores e mais oposições, lamentavelmente.

Eu abandonei o arquétipo da "guerreira" há muito tempo. O guerreiro se prepara para embates de força e resistência e só cria conflito à frente de si; e fomos educados para pensar que isso é muito digno e honroso, mas fato é que ser guerreiro é ser desgastado pelos conflitos que a gente cria na vida quando assume para si esse arquétipo; hoje, eu só fluo na paz.

Capítulo 14

Trocando crenças

Deus

Veja Deus não como lhe ensinaram, mas como uma energia inteligente que criou e mantém o Universo em equilíbrio. Veja-o como a fonte de onde tudo se originou, cuja sabedoria é infinita e de quem você herdou o DNA energético.

Você: autoimagem

Se Deus é a fonte, você é emanação da fonte de vida, digno, merecedor do bem.

É possível

Olhe para o mundo e toda a evolução tecnológica, científica, perceba a Medicina. Tudo é possível...

Fácil e merecimento

Eu adoro o fácil.

Sempre que alguém mantém a ideia do difícil e que a gente tem que ralar o cu na ostra, é assim que a vida se manifesta: cheia de pedra no caminho.

A realidade é moldada conforme nossas crenças e a crença é só um pensamento alimentado muitas vezes. Em nossa sociedade padrão, somos educados para o difícil, é mais "honroso" e muito "digno", o fácil é malvisto e condenado. E assim vão se criando realidades cada vez menos alinhadas com o fluxo de bem-estar que na verdade é o único padrão real do Universo.

É fácil...

Caramba, gente, é tão fácil! A dificuldade que a maioria encontra não é pensar no que quer e sentir como já tivesse. É MANTER esse estado de recursos internos, de alta performance, de vibração, independente de qualquer aparência externa...

Parem de se agarrar a exercícios e práticas como se fossem resolver seus problemas de um jeito *mágicko*. Utilizem-nos como o que foram feitos para ser: ferramentas de permissão.

Tenho observado que, de milhares de resistências humanas, três são as mais correntes:

Sentimento de inadequação: não sou bom o bastante para isso ou aquilo, para estar com este ou aquele alguém;

Não mereço: crença implantada por religiões ou sentimentos de culpa ou punição;

Crença no difícil: para tudo, em vez de uma possibilidade, a maioria só enxerga os obstáculos que a impedem de alcançar e conseguir seus intentos.

Assim, não dá.

O sentimento de inadequação pode ser substituído pelo de ADEQUAÇÃO (sim, eu posso e dou conta, sou feita do mesmo DNA divino daqueles que conseguiram e vou mandar ver. Dane-se o mundo e a opinião pública, são apenas bocas falando).

O sentimento de não merecimento pode ser trabalhado com o sentimento de que: eu fui o que deu para ser, nas condições que eu tinha, com a cabeça que eu tinha; não importa o que fui e, sim, quem estou me tornando. Mereço tudo de bom pelo simples fato de existir e... Dane-se de novo.

A crença no difícil é facilmente derrubada. O Universo nunca viu dificuldade em manifestar coisa nenhuma, o crescimento da grama é fácil, a formação de tudo ele faz com maestria.

E levando-se em consideração que somos o poder em miniatura, me responda, criatura: existe dificuldade para você? Não! Tudo é fácil. Relaxe e saia da frente.

Capítulo 15

MINHA MENSAGEM PARA VOCÊ <3

Vocês vieram a este mundo para ser felizes.
Karma não se paga, se transcende.
Permitam-se. Saibam que são feitos do mesmo DNA divino que o criador e, portanto, possuem os mesmos atributos divinos, inclusive o de criar e manifestar a vida que desejam e MERECEM.

Merecem tudo de bom porque são filhos do criador, da inteligência infinita que tudo criou e mantém com precisão matemática. Ninguém veio a este planeta sofrer, chorar, e ser feliz na vida que vem, talvez... NÃO! Todos podem se realizar agora. Aqui e agora.

Trata-se somente de escolher deliberar sobre o que pensa, sente, sobre como reage aos fatos da vida e sobre manter o foco alinhado ao que se quer. Após séculos sendo doutrinados como "pecadores" ou "devedores de karmas", para alguns talvez seja difícil ou maravilhoso demais explodir essa lógica que até então nos conduziu.

Arrisquem-se. Nada há a perder. O caminho da realização já fora preconizado pelo Mestre dos mestres há mais de 2 mil anos: "Que tenham vida em abundância". Nenhum pai deseja sofrimento a seu filho. Todos vocês estão condenados a ser felizes, essa é a nossa natureza, é para isso que estamos aqui...

Com amor,
Rayra Kalidan

Referências bibliográficas

BYRNE, Rhonda. **A Magia.** 1ª ed. Rio de Janeiro: Sextante, 2014.

CHAGAS, Alexandre. **72 nomes de Deus:** guia prático de consulta e meditação. 1ª ed. Disponível em: https://www.luzcristica.com/. Acesso em 10/nov. 2016.

HICKS, Esther; HICKS, Jerry. **Peça e será atendido.** 1ª ed. Rio de Janeiro: Sextante, 2016.

MURPHY, Joseph. **O poder do subconsciente.** 1ª ed. Rio de Janeiro: Best Seller, 2013.

PONDER, Catherine. **Leis dinâmicas da prosperidade.** 1ª ed. Barueri: Novo Século, 2013.

RODRIGUES, Antônio. **Radiestesia prática e ilustrada.** 1ª ed. São Paulo: Mindtron, 2013.

RODRIGUES, Antônio. **Os gráficos em Radiestesia.** 4ª ed. São Paulo: Alfabeto, 2006.

SIQUEIRA, Renato G. **Cinestesia do Saber**. 1ª ed. São Paulo: Alfabeto, 2014.

TRUMAN, Karol K. **Feelings buried alive never die**. Londres: Olympus Publishing Company, 2014.

VIANNA, Paulo C. **Gráficos de Radiestesia**. Disponível em: https://pt.scribd.com/doc/53213863/Graficos-em-Radiestesia-Paulo-Cesar-Vianna-1. Acesso em 23/out. 2016.

VITALE, Joe; HEW, Ihaleakala. **Limite zero:** o sistema havaiano secreto para a prosperidade, saúde, paz e mais ainda. 1ª ed. Rio de Janeiro: Rocco, 2009.

VITALE, Joe. **Marco zero**: a busca de milagres por meio do Ho'oponopono. 1ª ed. Rio de Janeiro: Rocco, 2014.

_____. **O curso do despertar**. 1ª ed. Rio de Janeiro: Rocco, 2012.

_____. **Spiritual Marketing:** A proven 5-step formula for easily creating wealth from the inside out. Disponível em: <https://www.free-ebooks.net/ebook/Spiritual-Marketing>. Acesso em 19 de setembro de 2016.

MEILER, Wilson. **Esvaziando armários de nossa vida.** Disponível em:<http://metaforas.com.br/esvaziando-armarios-de-nossa-vida>. Acesso em 20 de novembro de 2016.

Conheça mais:

SITE: rayrakalidan.wix.com/leidaatracaoepratica

BLOG: rayrakalidan.wix.com/leidaatracaoepratica#!blog/sudij

YOUTUBE: youtube.com/channel/UCn0K6BSQ-wb1Av6mVfsMDEg?view_as=public

INSTAGRAM: @rayrakalidan_oficial

ATCI
ACADEMIA DE TREINAMENTO DE CRIADORES INTENCIONAIS

ATCI : ACADEMIA DE TREINAMENTO DE CRIADORES INTENCIONAIS

grupo novo século

Compartilhando propósitos e conectando pessoas
Visite nosso site e fique por dentro dos nossos lançamentos:
www.gruponovoseculo.com.br

‹ns

- facebook/novoseculoeditora
- @novoseculoeditora
- @NovoSeculo
- novo século editora

gruponovoseculo
.com.br

Edição: 1ª
Fonte: Sabon MT